Chères lectrices,

Avez-vous remarqu [...] tains termes sans en connaître précisément le [...] mot « charme », par exemple, que l'on a toujours tendance à qualifier d'« indéfinissable ». A croire qu'il serait impossible de mettre des mots derrière cette notion, condamnée dès lors à rester dans un flou perpétuel !

Pourtant, le charme n'est pas aussi vague qu'on le pense. Et lorsque l'on définit une personne comme « charmante », en réalité, on lui attribue une qualité aussi précise que puissante : celle d'ensorceler ! Evidemment ce sens premier du mot « charme », qui vient du latin *carmen*, le « chant magique », s'est perdu. Mais la notion d'irrationnel n'a pas tout à fait disparu… c'est celle qui subsiste dans le pouvoir mystérieux du charme. Ainsi, quand on tombe amoureux, on se retrouve « sous le charme » comme si la personne aimée nous avait jeté un sort. N'oublions pas non plus le « prince charmant », tout droit sorti de l'univers magique des contes de fées.

Il est toujours amusant de découvrir que, sous l'usage courant de certains mots, se cachent de véritables trésors de signification. En l'occurrence, on comprend mieux ce qui a poussé Mérimée à baptiser son héroïne « Carmen ». N'est-elle pas la femme au chant magique, l'ensorceleuse par excellence, celle qui par son charme séduit l'officier Don José ?

Je vous souhaite à présent une excellente lecture, en compagnie de vos héros, aussi séduisants… que charmants !

La responsable de collection

Un brûlant tête-à-tête

SHARON KENDRICK

Un brûlant tête-à-tête

COLLECTION AZUR

éditions Harlequin

Cet ouvrage a été publié en langue anglaise
sous le titre :
THE BILLIONAIRE BODYGUARD

Traduction française de
MARIE MAY

HARLEQUIN®

est une marque déposée du Groupe Harlequin
et Azur ® est une marque déposée d'Harlequin S.A.

83-85, boulevard Vincent-Auriol, 75013 PARIS — Tél. : 01 42 16 63 63
Service Lectrices — Tél. : 01 45 82 47 47
ISBN 2-280-20392-8 — ISSN 0993-4448

1.

Confortablement installée sur la banquette de cuir, à l'arrière de la luxueuse voiture, la jeune femme considéra un instant le dos de l'inconnu assis au volant, devant elle. L'homme était vraiment peu bavard, songea-t-elle. Il avait marmonné un mot ou deux lorsqu'il était venu la prendre à son appartement londonien, très tôt ce matin, et depuis, elle avait à peine entendu le son de sa voix. Mais peut-être était-ce mieux ainsi ? Il n'y avait rien de pire qu'un chauffeur qui se croyait obligé de faire la conversation.

En tout cas, qui qu'il soit, il devait être doté d'une force physique exceptionnelle, si l'on en jugeait à la largeur de ses épaules.

Elle frissonna. A l'extérieur, les flocons de neige continuaient de tomber, épais et denses. La jeune femme remonta le col de sa pelisse et se blottit dans le vêtement douillet.

— Brr ! Pourriez-vous augmenter un peu le chauffage, s'il vous plaît ? Je suis complètement gelée.

— C'est très facile…

Sans quitter la route des yeux, le chauffeur modifia la position du bouton de chauffage.

— Et est-ce que cela vous gênerait d'accélérer ? Je tiens à être à Londres ce soir.

— Je ferai de mon mieux.

Jay réprima un soupir excédé. Il roulerait aussi vite que les conditions le permettaient. Ni plus ni moins. Sa passagère ne pouvait voir son visage, mais lorsqu'il jeta un coup d'œil rapide dans le rétroviseur au moment où elle enfilait une paire de gants doublés de fourrure, il se demanda si elle avait capté son regard. Décelait-elle l'irritation qui commençait à envahir Jay ? Quelle importance après tout ? Une femme comme elle ne se souciait guère des états d'âme d'un homme engagé pour satisfaire tous ses caprices et veiller sur le collier de diamants hors de prix qui ornait son cou gracile, durant l'un des après-midi les plus froids de l'année.

Il l'avait observée pendant que les stylistes, les photographes et leurs assistants s'affairaient autour d'elle. Il avait remarqué avec quelle complaisance froide proche de l'ennui elle les avait laissés faire. A vrai dire, lui-même avait trouvé cette séance de poses assommante. Pis encore, ces heures d'attente interminables lui avaient donné l'impression d'une perte de temps ridicule.

Jay s'était étonné qu'une femme acceptât de porter une robe du soir légère à l'extérieur par une journée aussi glaciale. N'aurait-on pas pu créer un décor hivernal dans un studio chauffé, afin de rendre le travail du modèle plus confortable ?

Et puis, il avait vu les éclairs jaillir des appareils et, tout à coup, il avait compris. Devant les objectifs braqués sur elle, elle était devenue vivante — ô combien vivante !

— Elle est merveilleuse, n'est-ce pas ? avait murmuré l'un des assistants.

Elle était somptueuse, à l'image des diamants qu'elle portait — si l'on aimait les diamants, ce qui n'était pas le cas de Jay. Encadré par ses cheveux bruns, animé par la flamme de ses yeux sombres, le visage du modèle avait la pâleur d'une poussière de neige. Ses lèvres charnues, rouge incarnat, s'entrouvraient sur un sourire humide, provocateur. La mince robe en lamé d'argent épousait sa poitrine haute et ferme et la chute de ses hanches, tel un fourreau de givre.

Elle aussi semblait avoir été modelée dans la glace, ou dans la cire — trop parfaite pour être vraie. Si l'on piquait une femme comme elle avec une aiguille, saignerait-elle ? s'était demandé Jay. Si on lui faisait l'amour, crierait-elle sous l'emprise du plaisir, de la passion ? Ou bien se contenterait-elle de remettre en ordre sa chevelure parfaite ?

— Elle n'est pas mal, avait-il reconnu d'un ton flegmatique.

L'assistant lui avait décoché un sourire entendu.

— Elle ne fait pas partie de notre monde, c'est ce que vous voulez dire ? avait-il chuchoté.

Avec un haussement d'épaules, il avait ajouté :

— Elle ne s'est sans doute même pas aperçue que notre monde existe.

Jay avait hoché la tête avant de tourner le dos à l'homme sans se donner la peine d'expliciter le fond de sa pensée. Le jour où il considérerait qu'une femme n'appartenait pas à son monde serait celui où il oublierait de respirer. Il était là par obligation professionnelle et il souhaitait repartir dès que possible. D'autant qu'il avait rendez-vous, ce soir, avec une ravissante blonde.

A cette pensée, des images érotiques commencèrent à affluer à son esprit.

— Dans combien de temps arrivons-nous ?

La voix de sa passagère le ramena à la réalité.

Attentif, il scruta la route. La neige tombait de plus en plus dru. Le ciel était d'un gris pâle, si pâle qu'on ne le distinguait pas du rideau de flocons. Les arbres se dressaient sur les bas-côtés, tels des fantômes.

— Difficile à dire, répondit Jay. Cela dépend.

— De quoi ? insista Keri.

Elle n'avait pu réprimer son impatience. Quelque chose chez cet homme — son attitude décontractée, son assurance — l'agaçait. Quel genre de chauffeur était-il, s'il ne pouvait estimer au moins approximativement l'heure de leur arrivée ? Après cette journée exténuante, elle n'avait plus qu'une envie : rentrer chez elle, se prélasser dans un bain chaud, puis se lover dans un fauteuil avec un bon livre. Le problème, c'était qu'elle avait promis à David de dîner avec lui. Non pas que cette perspective l'ennuyât — elle prenait toujours plaisir à sortir avec David, même s'il ne mettait pas ses sens en ébullition. Il le savait, d'ailleurs, et l'acceptait avec sérénité. Du moins en apparence, car Keri se demandait si, au fond de lui, il n'espérait pas la voir changer de point de vue à son sujet. Ce qui n'arriverait pas, bien sûr. Elle avait attribué à David le rôle d'ami. Il le resterait. Les amants — du moins dans l'expérience limitée de Keri — étaient source d'ennuis.

— De l'état de la route, répondit le chauffeur. Avec cette neige…

Elle regarda au-dehors.

— L'état de la route ne me semble pas si mauvais, affirma-t-elle.

— Vraiment ? rétorqua l'homme. Dans ce cas, tout va pour le mieux.

Il avait un accent légèrement traînant, presque américain. Keri crut déceler une pointe d'ironie dans ses mots. Se moquait-il d'elle ?

— Voulez-vous que je mette la radio ? proposa-t-il.

— A vrai dire, ce que je souhaite surtout, c'est dormir un peu. Alors, si cela ne vous dérange pas…

— Aucun problème.

Le silence s'installa dans l'habitacle. Quelques minutes plus tard, Jay leva les yeux vers le rétroviseur et s'aperçut que la passagère s'était assoupie. La tête en arrière, les cheveux répandus sur ses épaules comme une soyeuse étole noire, elle était belle, extraordinairement belle. Jay s'empressa de reporter son attention sur la route.

La neige tombait sans cesse, de plus en plus lourde, et l'obscurité commençait à noyer le paysage. Déjà, des congères obligeaient à ralentir.

Et cette situation ne ferait qu'empirer. Dès les premiers flocons, il l'avait compris. Grâce à son instinct et à son expérience, car maintes fois déjà, il s'était trouvé confronté aux plus terribles conditions météorologiques.

Les essuie-glaces balayaient le pare-brise à une allure démente. Pourtant, Jay avait l'impression de s'enfoncer dans des abysses glacés. La route descendait légèrement, ce qui lui parut un signe encourageant. Les chemins conduisant vers des creux aboutissaient généralement à des lieux habités. Des lieux où ils pourraient trouver refuge. Car ils auraient besoin d'un abri pour la nuit, il en avait la certitude. Seulement... Seulement, la région qu'ils traversaient était désolée. Préservée, magnifique — Jay le devinait — mais totalement isolée.

Il alluma la lumière le temps de jeter un coup d'œil à la carte, puis, reportant le regard sur la route, aperçut la silhouette sombre d'un bâtiment. Il roula encore un moment, puis comprit qu'il n'avait pas le choix. Il freina. Brutalement.

La secousse réveilla la jeune femme. Il vit celle-ci ouvrir les yeux et bâiller. Puis elle demanda d'une voix ensommeillée :

— Où sommes-nous ?

— Au milieu de nulle part, répondit Jay. Voyez vous-même.

Cette réponse parut la tirer de sa torpeur. Elle regarda au-dehors, cilla.

Autour d'eux, le paysage enneigé ressemblait à un décor de film fantastique. Tout était noir et blanc comme sur un négatif de photographie.

— Pourquoi vous êtes-vous arrêté ? s'enquit-elle.

« A votre avis, pourquoi me suis-je arrêté ? »

— Parce que la neige tombe de plus en plus fort.

— Et dans combien de temps pensez-vous que nous arriverons ?

Jay lança un autre coup d'œil au-dehors avant de contempler, dans le rétroviseur, le beau visage perplexe de sa passagère. A en juger par sa question, celle-ci n'avait aucune idée de la gravité de la situation. Il devait la mettre au courant. Avec ménagements.

— Si cela continue ainsi, nous n'avons aucune chance d'arriver. Du moins, ce soir. Et nous pourrons nous estimer heureux si nous parvenons à atteindre le village le plus proche.

Il la vit tressaillir. L'expression féminine se fit mécontente.

— Mais je ne veux pas aller dans un village ! s'exclama-t-elle. Je veux rentrer chez moi.

Je veux ! Je veux ! Une femme comme elle passait son temps à obtenir tout ce qu'elle réclamait, songea Jay. Ce soir, pourtant, elle resterait sur sa faim.

— Moi aussi, ma jolie, je voudrais bien rentrer chez moi, rétorqua-t-il d'un ton sec. Si cela ne tenait qu'à moi…

Il craignit de la voir réagir, mais elle préféra manifestement ignorer la familiarité de l'expression « ma jolie ».

— On ne peut pas continuer ? insista-t-elle.

Il donna un coup d'accélérateur et relâcha aussitôt la pédale.

— Non. Nous sommes bloqués.

La passagère se redressa sur son siège.

— Que voulez-vous dire ?

— Je veux dire que nous sommes bloqués. Nous ne pouvons plus avancer, c'est tout. Il y a des congères sur la route. Et, au-dessous, une couche de glace. Autrement dit, c'est sans espoir.

La jeune femme ferma les yeux pour les rouvrir aussitôt.

— Vous n'auriez pas pu le prévoir et prendre un autre itinéraire ?

Il songea qu'il eût été préférable de ne pas relever la réflexion, mais quelque chose dans cette accusation avait mis son sang en ébullition.

— Il n'y a *pas* d'autre itinéraire que celui-ci, rétorqua-t-il. Il fallait leur dire, à vos photographes, de choisir un autre lieu pour leurs satanées prises de vue. Et puis, si vous faites un petit effort de mémoire, vous vous souviendrez que je vous ai demandé trois fois de vous dépêcher. J'ai même ajouté que je n'aimais pas l'aspect du ciel. Mais vous étiez trop occupée à écouter les flatteries de vos admirateurs pour prêter attention à mes paroles.

A ces mots, la jeune femme resta un instant sans voix, mais la réponse, cinglante, ne se fit guère attendre.

— Je faisais mon travail, c'est tout !

— Et moi, j'*essaie* de faire le mien ! Qui consiste à trouver un moyen de nous sortir de cette situation sans perdre de temps en récriminations.

Keri fixa la nuque du chauffeur, ravalant les paroles de protestation qui lui venaient aux lèvres. Le pire, c'est qu'il avait raison. Sans doute se montrait-il arrogant, presque insolent, mais elle reconnaissait qu'il se conduisait d'une manière logique.

— Alors, qu'allons-nous faire ? interrogea-t-elle.

— Trouver un abri pour la nuit.

— Ah non ! Il n'en est pas question.

Que croyait-il ? Qu'elle allait prendre une chambre dans un hôtel ? Et pourquoi pas la partager avec lui, pendant qu'il y était !

— Je crains que vous n'ayez pas compris, reprit-elle. Je dois être à Londres ce soir. Alors, je vous le demande calmement, mais fermement : trouvez un moyen de nous sortir de là !

— Je crains que ce ne soit *vous* qui n'ayez pas compris, ma jolie. Même si j'arrivais à faire encore quelques kilomètres, ce ne serait que provisoire. Cette route est impraticable.

C'était la deuxième fois qu'il l'appelait « ma jolie », mais elle ravala son exaspération devant l'urgence de le convaincre.

— Qu'en savez-vous ?

Jay hésita à se lancer dans les explications. Il aurait pu lui dire qu'il avait rencontré de la neige et de la glace plus souvent qu'à son tour. Qu'à côté des horizons blêmes et vides des étendues arctiques qu'il avait eu l'occasion de contempler, ce paysage ressemblait à une anodine carte de Noël. Et que, maintes fois, il avait nagé dans les eaux polaires en se demandant si son sang ne s'était pas solidifié dans ses veines… Sans compter les hommes pris au piège, perdus, dont on n'avait plus jamais entendu parler.

— Je le sais ! répliqua-t-il d'un ton dur. C'est mon métier de le savoir.

Après avoir éteint le moteur, il se tourna vers l'arrière de la voiture et ajouta :

— Désolé, mais c'est comme ça.

Elle ouvrit la bouche pour répondre, mais les mots se figèrent sur ses lèvres lorsqu'elle rencontra ses yeux pour la première fois. Des yeux brillants dont elle ne pouvait distinguer la couleur, mais dont l'intensité lui coupa le souffle. En fait, elle ne l'avait jamais vraiment regardé — on ne regardait pas un chauffeur, n'est-ce pas ? Il avait le visage admirablement structuré, des lèvres sensuelles, des pommettes hautes et des cils épais. En un mot, il était *superbe*. Elle inspira une longue bouffée d'air, tandis que son cœur se mettait à battre la chamade, comme pour lui rappeler qu'il existait toujours.

Jay remarqua la dilatation des pupilles de la jeune femme avec une sorte d'amusement, mais oublia aussitôt ce détail. Il se trouvait là par obligation professionnelle, et non pour le plaisir. De toute façon, il n'était pas du genre à se laisser prendre dans les filets d'une jolie fille habituée à avoir tous les hommes à ses pieds.

— Nous pourrions passer la nuit dans la voiture, suggéra-t-il. Je ferais fonctionner le moteur par intermittence et on attendrait le matin en espérant que le temps sera plus clément.

— Vous êtes *sérieux* ?

— Tout à fait.

Il resterait éveillé. Il lui était très souvent arrivé de guetter les premières lueurs de l'aube.

Keri réfléchit. Il ne plaisantait pas, la fermeté avec laquelle il avait prononcé ces paroles le prouvait. Mais la situation n'était pas forcément désespérée. Ils se trouvaient en Angleterre, bon sang, pas dans les montagnes Rocheuses !

— Si on téléphonait ? proposa-t-elle.

Déjà, elle se mettait à fouiller dans son sac à main.

— J'ai mon portable quelque part…

— Allez-y, essayez, acquiesça-t-il d'un ton moqueur. Appelez le poste de secours et dites que nous avons des ennuis. Qu'ils viennent nous secourir… si vous arrivez à les avoir, bien sûr.

A ces mots, Keri comprit qu'elle n'obtiendrait aucune tonalité. Le chauffeur possédait sans doute un portable et avait déjà dû essayer. Cependant, par fierté, elle pressa les touches de l'appareil.

A sa frustration, s'ajouta alors un brusque sentiment de panique.

— Alors ? demanda le chauffeur d'un ton sardonique.

D'une main tremblante, elle remit le téléphone dans son sac en essayant toutefois de conserver sa dignité.

— Ainsi, nous sommes complètement bloqués, souffla-t-elle.

— Ça m'en a tout l'air, oui.

Jay regarda sa passagère. Son visage livide, ses yeux immenses, sombres, pleins de désarroi, semblaient avoir été créés pour éveiller chez l'homme un instinct de protection.

— Ecoutez, dit-il. Je pense que nous pourrions trouver refuge dans un bâtiment que j'ai aperçu tout à l'heure. Je vais y aller en reconnaissance.

A la pensée de rester seule, l'angoisse de Keri monta d'un cran. Et s'il disparaissait dans la nuit glacée et ne revenait plus ? Et si un inconnu surgissait ? Elle se sentirait plus en sécurité avec cet homme que sans lui. Certes, il ne lui témoignait pas le respect que l'on pouvait attendre d'un chauffeur, mais au moins, il semblait agir de manière sensée.

— Je ne veux pas rester ici, rétorqua-t-elle. Je viens avec vous.

Il jeta un bref regard aux bottes de la jeune femme. Elles étaient en cuir de bonne qualité, souples, imperméables, mais elles n'avaient pas été conçues pour la marche. Celle qui les portait non plus, d'ailleurs. Il fronça les sourcils.

— Vous n'êtes pas vraiment équipée pour ce genre d'exercice, fit-il remarquer.

— Quand je me suis habillée, je n'étais pas censée faire de la randonnée.

Jay plissa les paupières.

— Vous pratiquez le ski ? demanda-t-il.

Elle rit.

— Avec le métier que je fais ? Vous plaisantez ! Le ski appartient à la catégorie des sports à risques. Il m'est déconseillé.

— Vous êtes sûre que vous pourrez me suivre ?

— J'y arriverai.

— Il le faudra. Parce que, je vous préviens, je ne vous porterai pas.

Jay mentait. Bien sûr qu'il la porterait s'il le fallait. Il avait l'habitude de porter les gens qui ne pouvaient pas marcher. Par ailleurs, quel homme n'aurait pas traversé des déserts de sable ou de glace pour sauver une femme dotée d'un physique aussi exceptionnel ?

— Boutonnez votre manteau, ordonna-t-il d'un ton rude. Et remettez vos gants.

Quand cesserait-il de lui parler comme à une idiote ? Keri ouvrit la bouche pour lui en faire la remarque, mais quelque chose dans l'expression des traits virils l'avertit que le rapport des forces s'était modifié. A partir de cet instant, cet homme n'était plus seulement son chauffeur. Quelque chose d'indéfinissable, mais d'indubitable dans son attitude indiquait qu'il l'avait prise en charge.

— Vous avez une toque ? reprit-il.

— Non.

Il ouvrit la boîte à gants et en sortit un bonnet de laine, qu'il tendit à la jeune femme.

— Relevez vos cheveux et mettez ça.

Elle s'exécuta.

— Maintenant, suivez-moi. Le plus près possible et le plus vite possible. Et faites exactement ce que je vous dis.

Elle n'avait d'autre choix que d'obéir. Tandis qu'elle s'essoufflait derrière son guide, les flocons de neige voletaient contre son visage, fondaient sur ses lèvres, lui brouillaient la vue. Ses bottes, dont elle avait apprécié le confort à Londres, lui broyaient les pieds. Et le froid mordait cruellement ses doigts à travers les gants de peau.

Mon Dieu, et s'ils ne trouvaient pas l'endroit qu'il prétendait avoir vu ? s'interrogea-t-elle, en proie à un terrible doute. Les journaux ne relataient-ils pas régulièrement des histoires de voyageurs morts de froid ou disparus dans des conditions atmosphériques comme celles-ci ?

Cependant, l'homme qui la précédait semblait savoir exactement où il allait. Avait-il deviné son inquiétude ? Il se retourna à cet instant.

— Ça va ? demanda-t-il. Vous n'avez pas trop froid aux mains ?

— Quelles mains ? répondit-elle. J'ai l'impression de ne plus en avoir.

Il rit.

— Allons, du courage ! Ce ne sera plus très long maintenant.

Elle frissonna, se mordit la lèvre, perçut à peine l'impact de ses dents dans sa chair. Pourquoi n'avaient-ils pas attendu dans la voiture ? Quelqu'un aurait fini par les trouver au petit matin. Déjà, de sombres pensées recommençaient à la tourmenter. Mais l'homme devant elle s'arrêta.

— C'est ici, annonça-t-il d'un ton d'intense satisfaction. Je le savais.

Keri retint son souffle, scruta l'espace noyé dans la grisaille, jusqu'au moment où elle distingua une ombre surgie de ce néant terrifiant. Très vaste, le bâtiment n'avait pas l'air accueillant et le chemin qui y conduisait disparaissait sous un monceau de neige. Aucune lumière, aucun rideau aux fenêtres hautes. Mais au moins, la demeure offrirait un abri.

Alors, Keri réagit comme toute femme l'aurait fait dans de telles circonstances.

Elle éclata en sanglots.

2.

Jay lui jeta un rapide regard désapprobateur, mais ne risqua aucun commentaire.

— Il n'y a personne dans cette maison, déclara-t-il seulement.

Cela, Keri l'aurait deviné ! Elle s'en voulait d'avoir cédé à l'émotion. Elle qui se contrôlait si bien d'habitude… Heureusement, l'homme avait eu la discrétion de ne pas prêter attention à son débordement lacrymal. Quoique… elle aurait apprécié un peu de réconfort de sa part.

Tandis qu'elle s'essuyait le coin des yeux, il annonça :

— Je vais devoir crocheter la serrure.

— Quoi ?

La jeune femme recula d'un pas et faillit perdre l'équilibre, ce que son compagnon ne parut pas remarquer non plus.

— Cela s'appelle entrer par effraction, reprit-elle. Vous n'en avez pas le droit.

— Que suggérez-vous ? questionna-t-il avec impatience. Que nous passions la nuit dehors, au risque de mourir de froid, afin de mériter la médaille de bons citoyens ?

— Non, bien sûr, je…

— Alors, taisez-vous et laissez-moi me concentrer.

La rudesse de ce malotru frisait la grossièreté ! Cependant, Keri n'eut pas le temps de s'en indigner car, à son grand étonnement, il extirpait déjà de la poche de sa veste une sorte de tournevis. La législation du travail imposait-elle à tous les chauffeurs de porter sur eux un attirail de cambrioleur ? En tout cas, celui-ci semblait avoir lu le « Manuel du parfait crocheteur de serrures » : il ne lui fallut pas plus de dix secondes pour venir à bout de sa tâche.

— Comment diable avez-vous fait pour y arriver aussi vite ! s'exclama la jeune femme en le suivant à l'intérieur.

Il prit le temps de refermer la porte derrière eux avant de répondre :

— Mettez cela au compte des nombreux dons que je possède.

Seigneur ! A quelle sorte de maniaque avait-elle affaire ? Un voleur ? Ou pire encore ?

Elle le considéra avec appréhension, tandis qu'il regardait autour de lui, le visage légèrement levé, semblable à un animal confronté à un environnement nouveau et potentiellement hostile, le corps tendu, les sens aux aguets.

— Personne n'habite ici, déclara-t-il. Du moins pas en permanence.

— Qu'est-ce qui vous permet de l'affirmer ?

— Cette maison est froide, très froide. Et il n'y a aucune odeur. Les gens laissent toujours des odeurs derrière eux. Et puis, il y a autre chose. Un endroit inhabité dégage toujours une impression de solitude. Vous ne la ressentez pas ?

Keri hocha la tête. Elle comprenait ce que son compagnon voulait dire. Même si la demeure n'avait pas été située dans ce coin perdu, elle aurait donné la même impression d'abandon.

— Eh bien, nous voilà saufs..., murmura le chauffeur.

Sa voix était devenue plus rauque, plus profonde, remarqua Keri. Elle le regarda et, pour la première fois, prit conscience de la réalité. Ils étaient là tous les deux. Juste elle et lui. Maintenant que ses yeux s'étaient accoutumés à l'obscurité, son compagnon lui apparaissait sous un jour nouveau. Non plus comme un employé au service de la société commanditaire de cette séance de photographies, mais comme un homme.

Juste un homme.

La première impression qu'elle avait eue de lui dans la voiture ne l'avait pas trompée. Il possédait un charme époustouflant. Très grand — plus grand qu'elle, et cela n'arrivait pas souvent, parce que Keri, à l'instar de la majorité des mannequins, était immense pour une femme. Toutefois, s'il l'impressionnait par sa taille, elle était surtout subjuguée par ce qui émanait de sa personne. Quelque chose de subtil, de dangereux. Une aura de virilité pure, presque tangible, une sensualité animale, primaire, un magnétisme irrésistible.

Elle déglutit. Soudain, le hall où ils se trouvaient, pourtant haut et spacieux, sembla se rétrécir. Son compagnon éprouva-t-il le même sentiment proche de la claustrophobie ? En tout cas, il tendit la main vers l'interrupteur.

— Si nous allumions la lumière, ce ne serait pas plus mal, dit-il. Bon sang… !

— Qu'y a-t-il ? s'alarma Keri.

— J'aurais dû m'en douter, maugréa-t-il. Il n'y a pas de courant.

Il jura, puis sortit de sa poche un briquet, dont il souleva le couvercle et qu'il alluma d'un coup de pouce. La flamme éclaira son visage.

— Il vous arrive d'avoir aussi des lapins blancs dans vos poches ? interrogea la jeune femme.

Elle avait souhaité lancer une remarque sarcastique, mais elle s'aperçut que sa voix tremblait. Son interlocuteur dut s'en rendre compte lui aussi, car il la considéra de la tête aux pieds.

Sous son regard, elle se troubla. Jusque-là, elle l'avait simplement trouvé beau. Il possédait une élégance physique naturelle, des traits agréables — une beauté extérieure, en somme, superficielle, dont étaient dotés tous les modèles masculins qu'elle connaissait. Toutefois, il y avait autre chose chez cet homme…

Le souffle, soudain, lui manqua.

A la clarté de la flamme vacillante qui jetait des ombres sous les pommettes hautes, elle distinguait, dans les yeux posés sur elle, une lueur d'intelligence vive. Intense. En cet instant, il paraissait sûr de lui, inébranlable, alors qu'elle-même se sentait étrangement étourdie.

— Ça va ? s'enquit-il.

— Oui, je… je vais bien, parvint-elle à articuler en s'efforçant de rassembler ses esprits.

A l'évidence, ils étaient bloqués ici pour quelque temps. Il fallait donc établir très vite avec cet homme une relation neutre, afin que chacun connaisse exactement sa place et ne franchisse pas les frontières qui les séparaient. Elle devait le considérer uniquement comme son chauffeur et le garde du corps qu'on lui avait attribué pour… pour…

— Oh, mon Dieu ! s'écria Keri.

Il fronça les sourcils.

— Que se passe-t-il ?

— Le collier ! Où est le collier ?

Il esquissa une moue de désapprobation.

— Ah, les femmes ! s'exclama-t-il. Toutes pareilles ! On les sauve d'une situation extrême, on leur trouve un abri, on les met en sécurité et à quoi pensent-elles ? A leurs bijoux !

Après avoir plongé son autre main dans sa poche, il en sortit avec flegme le collier, qu'il laissa en évidence — étincelant de tous ses feux — dans sa paume brunie par le soleil.

— Voilà ! Ça va mieux ?

Le ton moqueur exaspéra la jeune femme. Adulée par tous ceux qu'elle côtoyait, elle n'avait pas l'habitude d'être traitée avec cette désinvolture, de recevoir des ordres, de se laisser entraîner dans des maisons étrangères dont on crochetait la serrure sans le moindre scrupule.

— C'est vous qui devriez être content, rétorqua-t-elle. Content de ne pas l'avoir perdu. Parce que ce n'est pas avec votre salaire que vous auriez pu le rembourser.

— C'est juste, admit-il en remettant le collier dans sa poche d'un geste négligent. Maintenant, essayons de trouver des bougies quelque part. Ensuite, nous allumerons un feu dans la cheminée. Mais pour commencer, il faut faire le tour de cette maison.

— Dans quel but exactement ?

— Dans l'espoir, ma jolie, d'inventorier les richesses qu'elle renferme.

Voilà qu'il recommençait à l'appeler « ma jolie » !

— Je ne suis *pas* « votre jolie », protesta-t-elle.

— Très bien. Dans ce cas, il vaudrait mieux que nous nous présentions. Je ne connais même pas votre nom.

N'était-il pas bizarre de faire des présentations ainsi ? songea la jeune femme. C'était comme si les lois régissant les relations sociales avaient été chamboulées et réinventées.

— Keri, dit-elle.

Elle eut une hésitation, puis ajouta :

— Et je… euh… je ne connais pas le vôtre non plus.

— Je m'appelle Linur. Jay Linur.

Ce nom lui allait bien, pensa Keri. Peut-être parce qu'il n'était pas courant. De nouveau, elle sentit la nécessité de rétablir les frontières.

— Vous êtes américain ?

Il la considéra sans répondre, visiblement agacé, puis déclara :

— Ecoutez, je conçois que mes origines puissent vous intéresser, mais je suis gelé jusqu'à la moelle. Aussi, je propose que nous remettions cette discussion à plus tard. Il est urgent, pour l'instant, d'explorer les lieux. Vous m'accompagnez ?

— Je suppose que je n'ai pas le choix.

Jay ne répondit pas. Il commença à avancer à la lueur de la flamme de son briquet. La jeune femme le suivit, le cœur battant — Dieu seul savait ce qu'ils pouvaient trouver dans cette maison déserte ! —, essayant de rester le plus près possible de lui sans le toucher. Il s'arrêta soudain sur le seuil de ce qui ressemblait à une cuisine.

— Je vais aller voir si je trouve des bougies, annonça-t-il. Attendez-moi ici.

Debout sur le pas de la porte, transie de froid et de peur, elle vit la petite flamme du briquet progresser dans l'obscurité. Cet homme n'avait pas besoin d'elle, mais elle avait besoin de lui. Quelques secondes plus tard, elle l'entendit ouvrir des placards, des tiroirs, déplacer de la vaisselle. Tout à coup, il poussa un léger cri de satisfaction. Peu après, il revenait avec deux bougies allumées fixées dans des soucoupes. Il lui en tendit une et ordonna :

— Tenez-la fermement.

— Je sais tout de même comment on tient une bougie ! s'indigna-t-elle.

A en juger d'après la lueur moqueuse qu'elle perçut dans le regard masculin, il en doutait. Il s'abstint pourtant de tout commentaire et l'invita à le suivre à l'étage.

Les trois chambres à coucher qu'ils découvrirent semblaient fantomatiques, irréelles. Sans doute à cause des lits nus dans lesquels, à l'évidence, personne n'avait dormi depuis longtemps.

— J'ai l'impression d'être Boucle d'Or, chuchota Keri. A tout moment, nous allons nous trouver nez à nez avec l'un des trois ours.

— Je n'ai jamais beaucoup aimé la soupe, murmura Jay. Venez, il est inutile de nous attarder ici.

Ils entrèrent dans une salle de bains archaïque dotée d'une immense baignoire. Jay alla tourner le robinet. Miracle : l'eau jaillit !

— Eh bien, voilà au moins quelque chose qui marche, constata-t-il.

Dieu merci, il faisait sombre, se félicita la jeune femme. Ainsi, il ne la vit pas rougir. Stupidement, admit-elle, mais elle n'avait jamais vécu avec quelqu'un, sauf avec sa famille, et l'idée de partager des choses aussi intimes avec un inconnu ajoutait à son malaise.

Ils redescendirent, prirent la direction opposée dans la cuisine. Jay poussa une porte qui ouvrait sur des ténèbres profondes.

— La cave, annonça-t-il. Vous voulez l'explorer ?

— Non, merci. Je crois que je peux m'en passer.

De l'autre côté du hall, il y avait encore une porte. Lourde, en chêne massif. Jay l'ouvrit, attendit que la flamme cessât de vaciller.

— Venez, Keri, dit-il d'une voix douce où elle crut sentir percer l'excitation. Et regardez ça !

Elle le rejoignit.

— Seigneur ! s'exclama-t-elle dans un souffle. J'ai l'impression d'être Aladin.

— Oui. Je vois ce que vous voulez dire.

C'était comme s'ils étaient tombés à l'improviste sur un trésor — une somptueuse pièce qui semblait appartenir à un autre âge. Plafond haut avec poutres de bois, fenêtres à arcades, cheminée monumentale... Elle avait des dimensions impressionnantes.

— Où sommes-nous ? interrogea Keri, stupéfaite. Quel est cet endroit ?

Jay avança et sortit d'autres bougies de sa poche. Il prit le temps de les allumer, d'en disposer une sur la cheminée et une autre sur la table basse en face de l'âtre vide, avant de répondre :

— Je n'en sais rien. Et j'avoue que, pour le moment, la question ne me tracasse pas.

Comment, avec si peu de lumière, pouvait-on éclairer un lieu aussi vaste ? s'étonna la jeune femme. Elle distinguait à présent deux immenses canapés disposés à angle droit devant le foyer, un piano dans un coin, des étagères ployant sous les livres et, aux murs, des tableaux.

— On se croirait dans une église, souffla-t-elle.

— Pourquoi chuchotez-vous ? demanda Jay.

— Je ne sais pas. D'ailleurs, tout à l'heure, vous chuchotiez aussi.

La température paraissait de plus en plus glaciale.

— M… mais… aussi belle que soit cette maison, il fait encore plus froid ici que dehors, bredouilla Keri en claquant des dents.

— Je suis d'accord avec vous.

Jay s'agenouilla devant la cheminée — une cheminée si grande que l'on aurait pu y faire rôtir un bœuf.

— Vous savez quoi ? poursuivit-il. Je vais faire un feu et, pendant ce temps, vous allez inventorier le contenu des placards de la cuisine pour voir si vous trouvez de quoi manger ou boire.

Keri considéra l'espace noyé dans l'ombre.

— Toute seule ? demanda-t-elle.

Il leva vers elle un regard excédé.

— Vous voulez que je vienne avec vous et que je vous tienne la main ?

Elle se ressaisit.

— Bien sûr que non !

D’un ton soudain radouci, Jay affirma :

— Ne vous inquiétez pas, vous ne risquez rien. Tenez, prenez ça.

Elle saisit la bougie qu’il lui tendait puis, de l’autre main, retira son bonnet de laine. Ses cheveux libérés retombèrent, fluides et soyeux, sur ses épaules.

— Filez, maintenant, ordonna-t-il soudain.

Filez ? Filez ?

— Ne me parlez pas sur ce ton ! se récria-t-elle.

— Quel ton ?

— Vous savez *exactement* ce que je veux dire !

— Vous ne supportez les hommes que dans la mesure où ils vous rendent hommage, n’est-ce pas ?

Elle haussa les épaules, redressa la tête et s’éloigna le plus dignement possible.

Arrivée dans la cuisine, elle inspecta les lieux. Ce qu’elle vit ne la remplit pas d’optimisme : un vieux fourneau, une grande table de bois bien astiquée, un buffet… Dans ce dernier, elle découvrit deux boîtes de conserve, un paquet de sachets de thé poussiéreux, quelques ustensiles ménagers…

Elle remplit la bouilloire d’eau, la brancha, constata qu’elle ne fonctionnait pas et se souvint alors qu’il n’y avait pas d’électricité. Elle regagna l’immense pièce. Là, le feu commençait à flamber timidement dans la cheminée.

Jay se tenait toujours agenouillé devant l’âtre. Il leva les yeux vers la jeune femme.

— Qu’est-ce qu’il y a ?

— La bouilloire ne fonctionne pas. Il n’y a pas d’électricité, vous vous rappelez ?

— Et le gaz ?

Sous le poids du regard impatient qu’il lui lança, Keri demeura muette.

— Je n'arrive pas à le croire ! s'exclama Jay. Vous ne vous êtes même pas donné la peine de vérifier s'il y avait du gaz ?

Elle était mannequin, pas cheftaine de louveteaux ! Et d'ailleurs, elle n'avait aucune envie de boire quelque chose de chaud. S'il voulait une tasse de thé, il n'avait qu'à s'en préparer une lui-même ! Voilà ce que Keri aurait souhaité dire à ce malotru. Mais l'expression désapprobatrice qu'elle lisait sur le visage masculin l'en dissuada. Se trouver bloquée dans cette maison avec lui ressemblait à un cauchemar. Cependant, elle pressentait que, *sans* lui, le cauchemar prendrait des proportions encore plus effrayantes.

— Non, avoua-t-elle.

— Alors, allez-y !

Il recommençait à la traiter comme une écolière. Elle devait mettre les choses au point une bonne fois pour toutes.

— On ne vous a jamais dit que vous aviez beaucoup de progrès à faire dans le domaine de la délicatesse ? lança-t-elle.

— Ah… C'est de la délicatesse que vous attendez de moi, Keri ?

La question la décontenança autant que la lueur de défi des yeux noirs ou le ton caressant de la voix grave. En même temps, elle éprouva une sensation gênante, trop vague pour qu'elle pût l'identifier. Presque comme si… Elle repoussa l'idée qui venait de surgir à son esprit, avant de gratifier son compagnon d'un sourire glacial.

— Je n'irais pas jusque-là. Toutefois, si vous pouviez mettre de côté vos airs arrogants, machistes et paternalistes, je vous en serais reconnaissante.

Il fronça les sourcils.

— Vous n'aimez pas cela ?

— Montrez-moi une femme qui apprécierait ce genre de manières.

— Je pourrais vous en présenter des légions, assura-t-il.

— Eh bien, sachez que je n'appartiens pas à cette catégorie.

Sur ces mots, Keri s'esquiva.

Quand elle eut regagné la cuisine, la jeune femme continua de reconnaître le terrain tout en cherchant à se débarrasser de cette sensation étrange qui l'étourdissait, lui donnait l'impression que son sang, tout à coup, reprenait vie dans ses veines et se mettait à battre dans tout son corps. Elle en percevait les pulsations ici, à ses tempes. Là, à ses poignets. Là aussi. *Là…*

Ses joues s'enflammèrent. D'une manière ou d'une autre, c'était *lui* qui avait provoqué ce chambardement. Qui avait donné vie en elle à quelque chose d'inconnu, d'incontrôlable, avec ses sarcasmes aigres-doux, cette manière nonchalante qu'il avait de la regarder. Sans compter son arrogance éhontée !

Qu'avait-elle imaginé ? Qu'il se tiendrait respectueusement à l'écart, comme le faisaient si souvent les hommes qu'elle rencontrait ? Eblouis et légèrement hébétés par l'impact de son apparence physique et de sa notoriété ?

Elle toucha son visage en feu, maudissant sa réaction. Flûte et zut ! Il était temps de recouvrer son sang-froid ! Parce qu'à l'évidence, plus elle réagirait ainsi, plus il s'amuserait à la provoquer. Si elle parvenait à conserver un sourire serein, il finirait par se lasser et cesserait de se comporter avec cette familiarité déplacée.

Dans un placard, Keri dénicha une batterie de casseroles au prix d'un ongle cassé. Par miracle, la gazinière fonctionnait. Quelques instants plus tard, le thé fumait dans les tasses. Elle les emporta aussitôt dans la grande salle.

Le feu crépitait dans la cheminée. Les flammes jaillies des bûches baignaient la pièce d'une lumière orangée, douce et réconfortante. La jeune femme tendit l'une des tasses à Jay, puis, après avoir retiré sa pelisse, elle s'accroupit près de lui, devant l'âtre. Quelle idée de voyager avec une étroite jupe en cuir léger par un temps aussi froid ! se reprocha-t-elle. Mais elle avait cédé aux critères en vogue et au couturier qui la lui avait offerte.

De son côté, Jay Linur s'était lui aussi débarrassé de sa veste. Cependant, contrairement à Keri, il n'avait pas fait de concession à la mode. Jean lustré, confortable chandail sombre, il avait choisi des vêtements pratiques. Les flammes projetaient des ombres dansantes dans ses cheveux noirs, denses, légèrement trop longs, qui lui donnaient des airs de flibustier.

Négligemment allongé sur le tapis, il paraissait à l'aise, surveillant le feu avec une assurance tranquille. Tout à coup, il tourna la tête vers la jeune femme, qu'il observa avec flegme.

Elle posa sa tasse, cilla lorsque l'ongle cassé frotta contre sa paume.

— Vous vous êtes fait mal ? s'enquit Jay d'une voix douce.

— Pas vraiment. Je me suis cassé un ongle et je ne peux même pas le limer. J'ai laissé mon nécessaire à maquillage dans la voiture !

Il émit un petit rire.

— Il fait une température polaire dehors, la neige ne cesse de tomber sans aucun signe d'amélioration, nous sommes bloqués dans un endroit que Dieu seul connaît et tout ce qui vous préoccupe, c'est que vous ne pouvez pas limer votre ongle cassé !

Piquée au vif, Keri se défendit :

— Ne croyez pas que ce soit par futilité. Mon travail dépend de l'état de mes mains, entre autres choses, figurez-vous ! Et justement je dois poser pour une marque de vernis à ongles la semaine prochaine !

C'était la première fois de sa vie qu'elle ressentait le besoin de se justifier. Pourquoi cela arrivait-il justement aujourd'hui ? Et pourquoi devant cet homme ?

Jay commença à siroter son thé et grimaça, avant de reposer sa tasse avec une moue de dégoût.

— Qu'est-ce que vous avez bien pu mettre là-dedans ? s'exclama-t-il. De l'arsenic ?

— Ne me tentez pas ! Je n'ai fait qu'utiliser ce que j'ai trouvé. C'est-à-dire deux sachets de thé qui semblent relégués dans le placard depuis le Moyen-Age.

— Je ne pense pas que les sachets de thé existaient au Moyen-Age.

La jeune femme se mit à rire. Du moins, un très court instant. Les frontières ! se rappela-t-elle de justesse. Il ne fallait pas franchir les frontières.

— Avez-vous réponse à tout, monsieur Linur ? demanda-t-elle.

Il la considéra. *Oh, oui* ! La réponse se tenait là, juste devant lui. Elle avait les lèvres entrouvertes, si douces, si brillantes qu'elles appelaient les baisers. Il n'avait pas une opinion très favorable des beautés parfaites dont le gagne-pain dépendait des atouts que la nature leur avait attribués, mais il ne pouvait s'empêcher de désirer cette femme.

— Faites le test, murmura-t-il. Posez-moi n'importe quelle question.

Voilà que cela la reprenait ! Cette étrange sensation de perdre le contrôle d'elle-même. Comme si elle avait bu trop de champagne. Keri déglutit.

— D'accord. Pour commencer, je voudrais vous demander une chose : quelle solution proposez-vous pour nous sortir de là au plus vite ?

3.

Jay haussa les épaules.

— Aucune, répondit-il, catégorique.

Keri haussa les sourcils.

— Vous voulez dire que nous sommes condamnés à rester ici jusqu'à la fin des temps ?

Le sarcasme de la jeune femme le fit sourire. « Ne t'inquiète pas, ma jolie, cette idée m'épouvante autant que toi. »

— Perspective fascinante ! lança-t-il. Mais non, tout ce que nous pouvons faire, c'est attendre que la neige s'arrête de tomber ou que quelqu'un nous trouve ici.

— Vous n'avez même pas essayé de téléphoner pour appeler des secours !

— Il n'y a pas de téléphone. J'ai vérifié.

— Comment une maison peut-elle ne pas avoir de téléphone de nos jours ? s'indigna la jeune femme.

Encore une fois, Jay haussa les épaules.

— Pour la même raison qu'il n'y a pas de télévision, rétorqua-t-il. A mon avis, il s'agit d'une résidence secondaire. Et les propriétaires ont délibérément choisi de se passer du confort moderne.

— Drôle d'idée !

— La télévision et le téléphone génèrent du stress. Or, certaines personnes ont besoin de se détendre, alors elles font de la voile, du ski... ou achètent des propriétés comme celle-ci. Pour fuir les nuisances de la ville.

La voix de Jay avait pris un ton dur, le ton d'un individu familiarisé avec le mot « fuir ». Soudain, Keri eut la nostalgie de ce qui était sûr, prévisible. Le sanctuaire de son appartement londonien — propre, moderne, douillet... à l'opposé de cet endroit maudit. Un lieu où il suffisait de presser un bouton pour produire de la chaleur. Un monde où les voitures, les taxis circulaient sans problème, où les hommes portaient du lin et de la soie et vous abreuvaient de compliments bien tournés — au lieu de vous critiquer, de vous dévisager sans vergogne jusqu'à vous faire rougir comme une écolière, et de remuer les jambes pour attirer votre attention sur leur musculature.

Mais qu'il ne compte pas sur elle pour admirer sa plastique ! Vite, la jeune femme reporta les yeux sur le feu.

— Alors, qu'allons-nous faire ? s'enquit-elle

— Eh bien, pour commencer, nous avons besoin de nous restaurer.

— Nous restaurer..., répéta Keri machinalement.

— Il vous arrive de manger, je suppose ?

Elle n'avait que la peau sur les os, songea Jay en l'observant — toute en angles et en ombres, avec de longues jambes fines, musclées, qui évoquaient un cheval de course. La jupe de cuir moulait ses hanches étroites. Sa poitrine menue lui donnait l'air d'une adolescente. Il aimait les femmes aux courbes voluptueuses, dont il pouvait emprisonner les seins ronds au creux de ses paumes, caresser les hanches pleines, avant de se glisser entre leurs cuisses charnues pour les catapulter dans un océan de jouissance.

— Quoique... à vous voir, je me le demande, ajouta-t-il.

— Vous me trouvez trop maigre ? Mais si je prenais des kilos, je ne pourrais plus exercer mon métier.

— Je n'ai jamais vraiment compris pourquoi les femmes plantureuses étaient exclues des magazines de mode.

— Pourquoi ? Parce que les vêtements ont plus d'allure sur des silhouettes sveltes. C'est un fait avéré.

Jay esquissa un demi-sourire.

— Peut-être, mais la nudité a plus d'allure sur une silhouette tout en courbes. *Ça,* c'est un fait avéré.

— Merci de me dévaloriser !

— Ce n'était pas mon intention.

— Vous avez tout de même dit que les femmes minces ne sont pas belles.

Jay plissa les yeux.

— Attention, Keri ! J'ai l'impression que vous recherchez des compliments. Pourtant, vous devez en recevoir plus que le quota moyen.

C'était vrai. Les hommes aimaient la regarder, ils aimaient être vus en sa compagnie. Depuis son adolescence, ceux qui lui étaient proches lui attribuaient le rôle de la petite amie que l'on brandissait en trophée. Cependant, la beauté pouvait être une épée à double tranchant. Cela, elle l'avait appris à ses dépens. Son charme lui permettait de gagner sa vie plus que confortablement, mais qui se souciait de ce que cachaient ses atouts physiques ?

Elle passa une main dans ses cheveux, que le bonnet avait ébouriffés et qu'elle ne s'était pas encore donné la peine de remettre en ordre.

— Je suppose que je ne risque pas de mourir d'overdose de compliments en ce moment, déclara-t-elle. Je dois ressembler à un épouvantail.

Jay sourit. Avec ses mèches folles, ses joues pâles aux pommettes teintées de rose, elle paraissait beaucoup plus émouvante et désirable que la froide princesse aux diamants et à la robe en lamé d'argent qui, quelques heures plus tôt, virevoltait devant les objectifs des photographes.

— Si vous voulez mon avis, avec votre petit côté sauvage, vous ressemblez plutôt à une nymphe des bois qui émerge d'un long sommeil.

C'était la première fois qu'on la qualifiait de « sauvage » et qu'on la comparait à une nymphe des bois. L'image plut à Keri, au point qu'elle en éprouva un sentiment de plaisir qui s'accrut de seconde en seconde. Toutefois, la raison la rappela vite à l'ordre.

Elle aimait les compliments, certes — chose normale dans un métier où l'on vous jugeait sans concession sur vos qualités physiques —, mais pourquoi ne pouvait-elle se passer des louanges d'un chauffeur-crocheteur de serrures ?

Soudain, elle se sentit comme un bébé-poisson nageant dans des eaux inexplorées.

— N'avez-vous pas parlé de nourriture ? demanda-t-elle, soucieuse de revenir à des considérations plus pratiques.

— Si, bien sûr.

Jay se leva et s'interrogea. Savait-elle à quel point elle était jolie sans ses airs de princesse froide, lorsque sa bouche prenait une expression si douce ?

— Je propose que nous partagions équitablement les tâches, poursuivit-il. Je vais tâcher de trouver d'autres bûches pour le feu pendant que vous préparez le repas.

— Le problème, c'est que je ne sais pas faire la cuisine.

Comme Jay fronçait les sourcils, la jeune femme s'empressa de préciser :

— Je ne cuisine jamais.

— Je ne vous demande pas de préparer un navarin d'agneau, rétorqua-t-il d'un ton mordant. Inutile de chercher à m'impressionner. Débrouillez-vous avec ce qu'il y a.

L'*impressionner* ? Croyait-il vraiment qu'elle avait envie de l'impressionner ?

— Il n'y a que quelques vieilles boîtes de conserve, objecta Keri.

— Alors, ouvrez-les !

Il jeta une nouvelle bûche dans l'âtre.

Plus facile à dire qu'à faire, songea Keri, de retour dans la cuisine, en découvrant un ouvre-boîte qui devait dater de la préhistoire. Elle se débattit avec quelques instants, mais sans succès. Lorsque Jay vint la rejoindre, elle le lui mit d'office entre les mains.

— Ouvrez cette conserve vous-même, si vous y arrivez !

Il saisit la boîte qu'elle lui tendait.

— Des pêches au sirop ? dit-il d'un ton dégoûté.

— Vous espériez trouver des fruits frais ? ironisa-t-elle.

— Ce n'est pas ce que j'ai voulu dire !

— De toute façon, il n'y a pas beaucoup de choix.

— Vous croyez vraiment que je me nourris de pêches au sirop ?

— Je ne sais pas, mais quoi qu'il en soit, seriez-vous assez aimable pour les ouvrir pour moi ?

Il s'exécuta, reposa la boîte comme si elle était contaminée, puis se baissa pour examiner le contenu d'un placard. Après une recherche rapide, il se releva, brandissant triomphalement un paquet de spaghettis et une boîte de sauce tomate.

— Et ça ? lança-t-il. Vous avez quelque chose contre ?

— Je ne mange pas de pâtes, déclara-t-elle.

Jay haussa les épaules.

— Eh bien, moi, j'adore ça ! rétorqua-t-il. Alors, faites-les cuire !

Keri ouvrit la bouche pour protester, mais il ne lui en laissa pas le temps, ajoutant, une lueur malicieuse dans les yeux :

— A moins que vous ne préfériez vous occuper du feu ?

Keri réprima un soupir. Il savait parfaitement qu'elle ne s'était jamais « occupée » d'un feu de sa vie. Alors pourquoi s'amusait-il à la plonger dans l'embarras ?

Elle abdiqua.

— C'est bon, je vais les faire cuire.

— Parfait.

Jay tourna les talons et sortit. Cette femme était belle, c'était incontestable, mais sur le plan pratique, elle était aussi utile qu'un igloo par temps de canicule !

D'un coup d'œil, il évalua les bûches restantes et songea qu'ils auraient besoin de couvertures pour la nuit. Les placards qu'il avait repérés à l'étage devaient en contenir, pensa-t-il. En même temps, il se souvint qu'ils n'avaient pas exploré la cave. Peut-être y trouverait-il de quoi les réconforter et dissiper la tension qui s'était installée entre eux ?

Quand il retourna dans la cuisine, il arborait un air de triomphe. Avec précaution, il posa sur la table la bouteille de vin poussiéreuse qu'il tenait à la main.

— Regardez-moi ça ! Qu'en pensez-vous ?

Keri leva les yeux de la casserole dans laquelle cuisaient les spaghettis.

— Une bouteille de vin. Et alors ?

— Ce n'est pas n'importe quelle bouteille de vin.

Du bout du pouce, Jay essuya l'étiquette d'un geste aussi empreint de délicatesse que s'il caressait la peau d'une femme, avant de poursuivre :

— C'est un saint-Julien du beau caillou.

Il y avait du respect dans sa voix et sa prononciation française frisait la perfection. Keri n'aurait pas été plus surprise si elle l'avait vu tout à coup sauter sur la table et faire des claquettes.

— Vous êtes un connaisseur, on dirait, observa-t-elle.

— Venant d'un simple chauffeur, cela vous épate, hein ? rétorqua-t-il. Vous me preniez pour un buveur de bière, c'est ça ?

— En fait, je n'avais pas vraiment réfléchi à la question.

« Menteuse ! » pensa Jay. Elle l'avait classé dans son catalogue de stéréotypes, c'était évident. Mais à vrai dire… n'avait-il pas lui-même agi de la même manière à l'égard de la jeune femme ?

Il trouva un tire-bouchon.

— Vous joindrez-vous à moi pour faire honneur à ce précieux cru, Keri ? Ou préférez-vous un verre d'eau ?

Dans des circonstances ordinaires, la jeune femme aurait bu de l'eau ; ce soir, elle avait besoin d'une boisson forte. Peut-être le vin l'aiderait-il à voir la situation sous un jour moins sombre ? Et à dormir ! Elle remua les spaghettis d'un geste nerveux. Elle ne voulait pas *penser* à la nuit qui arrivait et à la manière dont ils organiseraient le couchage.

— Je vais boire du vin avec vous, répondit-elle.

— C'est gentil de votre part, rétorqua Jay.

Il fit sauter le bouchon et versa le vin dans deux verres dénichés dans un placard. Pendant ce temps, Keri soulevait à deux mains la lourde casserole pour la porter jusqu'à l'évier.

— Je n'ai pas trouvé de passoire, dit-elle.

Elle avait les poignets si fins que Jay craignit de les voir se briser au cours de la manœuvre.

— Donnez-moi ça, ordonna-t-il avec brusquerie.

Il remonta les manches de son chandail et saisit le récipient avant qu'elle ne le laissât s'échapper. Il filtra ensuite l'eau à l'aide du couvercle en maugréant :

— Je n'arrive pas à croire que vous ne… Mais au fait, quel âge avez-vous ?

— Vingt-six ans.

Vingt-six ans !

Jay alla reposer le récipient sur la table.

— Et à vingt-six ans, vous n'êtes même pas capable de préparer correctement des spaghettis ! Je plains le malheureux que vous épouserez.

— Vous n'avez aucun souci à vous faire de ce côté-là, répliqua aussitôt Keri.

— Vous voulez dire qu'il n'y a pas de candidat à l'horizon ? interrogea-t-il avec une curiosité mal dissimulée.

Elle nota le changement de sa voix, où perçait désormais une note sensuelle. Leurs yeux se rencontrèrent et se soutinrent un moment. L'impact de ce long regard fut si fort que la jeune femme eut l'impression de se transformer en pierre. Ou plutôt, en argile. Oui, de l'argile, beaucoup plus malléable que la pierre. De l'argile, humide, façonnable…

Keri avait l'habitude de susciter l'intérêt chez les hommes. Pourtant, aucun d'entre eux n'avait produit sur elle un effet aussi dévastateur. Elle sentit son cœur battre la chamade, ses genoux trembler, ses jambes se dérober sous elle.

« Ne me regardez pas comme ça ! » eut-elle envie de supplier. Cependant, elle demeura silencieuse, luttant contre l'emprise du charme époustouflant de cet homme. Comme dans un rêve, elle l'entendit prononcer son nom avec une infinie douceur.

— Keri ?

— Ou… oui ?

— Mettez le couvert, voulez-vous ?

Jay la vit rougir, puis détourner la tête. Ainsi, elle aussi avait perçu cette indéfinissable attraction qui pouvait exister entre deux êtres et qui se manifestait parfois au moment où l'on s'y attendait le moins.

Non, ce n'était pas tout à fait exact. Lui, il s'y attendait. Il l'avait pressenti dès le premier instant où il avait posé le regard sur elle.

Keri mit la table d'une main tremblante. Alors que Jay s'apprêtait à lui servir des spaghettis, elle l'arrêta d'un geste :

— Les pêches au sirop me suffiront, merci.

— Vous plaisantez ? rétorqua-t-il.

— Non, Jay. Je suis sérieuse. On ne doit jamais manger quelque chose de lourd avant… je veux dire… après 6 heures.

Un peu plus et elle disait : « avant d'aller se coucher ». Des mots qu'elle préférait ne pas prononcer.

— Comme vous voudrez.

Jay se servit une généreuse portion de pâtes, sous l'œil effaré de la jeune femme.

— Vous allez manger tout ça ? interrogea-t-elle, incrédule.

Il lui jeta un regard bref.

— J'ai un bon appétit.

— Vous devriez faire attention, conseilla Keri en versant les pêches dans un plat. Si vous continuez comme ça, vos muscles vont finir par se transformer en graisse.

— Aucun danger. Quand on reste actif, on ne grossit pas. Et je suis *très* actif.

Avec un sourire, Jay ajouta :

— Maintenant, si nous allions déguster toutes ces bonnes choses dans le salon ? On s'installe confortablement devant le feu et ensuite…

Il laissa la phrase en suspens. Keri le considéra, alarmée :

— Et ensuite ? répéta-t-elle.

— Ensuite, vous me raconterez votre vie. Jusqu'à l'épisode d'aujourd'hui.

4.

En se rendant de la cuisine à l'immense salon, Keri s'efforça de faire le point sur la situation. Tâche difficile pour qui avait l'impression d'avoir la tête pleine de coton.

Elle se trouvait face à un homme séduisant en diable. Cela, elle ne pouvait le nier. Elle ne pouvait nier non plus le magnétisme que cet individu exerçait sur elle. Mais qu'y avait-il de surprenant à cela ? Il eût fallu être façonnée dans la pierre pour rester insensible à ce corps puissant, mais élégant, et à ce visage magnifiquement structuré. En outre, il l'avait sauvée d'une situation extrême et elle lui en était infiniment reconnaissante. Une réaction plutôt étonnante de la part d'une femme qui, jusque-là, avait rejeté toute forme de protection masculine.

Et puis, il y avait aussi autre chose : la façon dont ce Jay Linur la traitait. Peut-être était-ce parce qu'il n'avait rien à perdre ? En tout cas, il se permettait de lui parler comme si elle était n'importe quelle femme, et lui-même n'importe quel homme.

Ce qu'il était en fait. Un homme capable de gérer une crise et qu'elle ne reverrait plus une fois celle-ci résolue. Aussi ferait-elle bien d'oublier son profil parfait, de cesser de fantasmer sur son corps musclé.

Le feu crépitait à présent. Les bûches incandescentes exhalaient une odeur délicieuse, réconfortante. Keri remarqua que Jay avait apporté une pile de couvertures. Ce constat l'amena à se poser de nouveau l'angoissante question : où dormiraient-ils cette nuit ?

Jay déposa le plateau sur la table basse, puis s'assit devant l'âtre.

— Il y avait du bois de pommier et de la lavande séchée au fond du panier, expliqua-t-il. Ça sent bon, n'est-ce pas ?

— Mmm…, approuva-t-elle.

Après un moment d'hésitation, elle le rejoignit devant la cheminée. Le bon sens lui dictait de s'approcher de la source de chaleur.

Une proximité qui la gênait cependant. D'autant que la lumière dansante des flammes, ajoutée à celle des bougies, créait une atmosphère romantique. Donc dangereuse.

Jay lui tendit un verre. Le vin avait des reflets mordorés.

— Merci, dit-elle.

Elle détourna la tête pour échapper au regard inquisiteur qu'il posait sur elle, aussi aigu que celui d'un entomologiste examinant un insecte au microscope.

— Mangez, ordonna-t-il. Mmm… ces pêches sont bien appétissantes.

Au fil des ans, Keri avait pris l'habitude de manger peu, au point d'en arriver à considérer la faim comme un état normal. A l'instar de tous les mannequins, elle ne fumait pas et ne buvait que de l'eau. Lorsque, par hasard, elle se sentait tentée de faire une entorse à son régime, elle partait marcher ou prenait un livre, ou encore se mettait à arranger des fleurs dans un vase.

La jeune femme avala un morceau de pêche, suivi d'une longue gorgée de vin, en essayant d'ignorer l'odeur des spaghettis à la sauce tomate dont Jay se régalait avec un plaisir presque indécent.

Après un moment, il l'interrogea :

— Vous n'en voulez vraiment pas ?

— Je ne mange pas de pâtes, je vous l'ai déjà dit. Ni… ni de viande rouge…

Keri fronça le nez pour exprimer un dégoût qu'elle n'éprouvait pas vraiment.

— Comme vous voulez, dit Jay.

Il porta à sa bouche une autre fourchetée de spaghettis. Puis une autre encore, émettant chaque fois un grognement de satisfaction, tout en observant la jeune femme du coin de l'œil.

— Allez, reprit-il après un moment, reconnaissez juste que vous en mourez d'envie.

Ses prunelles brillaient d'un éclat neuf. Il préleva une portion de pâtes et tendit la fourchette vers Keri. Celle-ci ouvrit la bouche instinctivement et, avant qu'elle ait eu le temps de se ressaisir, Jay y porta la nourriture.

Elle mangea, les yeux fermés, redoutant de lire une expression de triomphe sur le visage de son interlocuteur. A son tour, elle poussa un petit gémissement de plaisir.

— C'est bon, hein ? murmura-t-il.

Elle rouvrit les yeux et acquiesça. Contrairement à ce qu'elle avait pensé, il ne pavoisait pas. Il paraissait même soulagé de constater qu'elle appréciait un aliment consistant, énergétique.

— Délicieux, reconnut-elle.

Tout en continuant de lui donner la becquée comme à un enfant, il demanda :

— Vous vous rendez compte de tout ce que vous avez manqué jusqu'à présent ?

— Honnêtement, je ne pouvais pas…

— Taisez-vous et mangez !

Elle accepta encore une portion, mais refusa la suivante.

— Non, Jay, réellement, je ne peux pas… Je suis en train de manger tout votre dîner.

Il aurait pu rétorquer qu'il avait prévu une quantité suffisante pour deux. Il s'en abstint cependant. Mieux valait qu'elle ne soupçonnât pas la préméditation. Sinon, elle érigerait un système de défense qui compliquerait leur relation.

Il éloigna la fourchette des lèvres de la jeune femme pour la porter à sa propre bouche, trouvant quelque chose d'infiniment érotique dans ce geste. Elle dut le remarquer elle aussi, car elle baissa la tête. Un grand silence s'était fait, brisé seulement par le crépitement du feu.

Jay sourit.

— Une cuillère pour moi, une cuillère pour vous, dit-il.

Elle ne protesta pas. Avec la docilité d'un enfant, elle accepta chaque portion qu'il lui donnait.

Une fois l'assiette terminée, il poussa un soupir.

— Dommage qu'il n'y en ait plus ! regretta-t-il. J'ai beaucoup apprécié.

Ce n'était pas des spaghettis qu'il parlait, bien sûr, mais de la manière dont ils les avaient mangés.

Keri but une gorgée de vin.

— Moi aussi.

Jay considéra le plat de pêches — dorées, luisantes, appétissantes — et une bouffée de désir l'envahit aussitôt, impérieuse.

— Il reste des pêches, remarqua-t-il avec douceur. A votre tour, maintenant.

Au son de cette voix, Keri songea qu'elle ne pourrait pas. Rien que la pensée de glisser le fruit moelleux dans la bouche de cet homme la retournait. Et faisait chavirer ses sens.

Il lui semblait que, brusquement, ses membres pesaient lourd, très lourd. Une délicieuse léthargie s'était infiltrée dans son corps, tandis que ses veines charriaient un torrent de feu.

— Pas pour moi, merci, répondit-elle. Je n'ai plus faim. Mais je vous en prie, servez-vous.

Jay se moquait des pêches. Il voulait seulement que Keri le nourrisse comme il l'avait nourrie. Cela faisait longtemps — il en prit conscience — qu'il n'avait pas souhaité quelque chose avec autant d'ardeur. Quelque chose qu'il n'était pas sûr d'obtenir.

— Finalement, cela ne me dit rien non plus, affirma-t-il, flegmatique.

Il se leva pour aller s'installer confortablement dans le canapé, son verre de vin à la main. Puis, sans cesser de contempler le feu, il interrogea :

— Alors, depuis quand êtes-vous mannequin ?

La question brisa le climat trouble qui s'était installé. Keri aurait dû s'en réjouir. Pourtant, elle éprouva un sentiment de frustration qu'elle s'efforça de refouler, songeant qu'une conversation banale présentait moins de danger.

Heureusement, le vin lui avait délié la langue.

— Depuis que j'ai quitté l'école, commença-t-elle.

Aussitôt, elle rectifia :

— Non, ce n'est pas tout à fait exact. J'allais encore en classe. Je visitais Londres avec ma sœur…

— Elle est mannequin, elle aussi ?

— Non. Elle est mère au foyer.

« Et veuve », ajouta la jeune femme en son for intérieur. Elle préféra toutefois se garder d'évoquer une situation trop douloureuse.

— Nous étions à la terrasse d'un café, à Waterloo Station, lorsqu'une femme s'est approchée de moi et m'a demandé si j'avais déjà envisagé de poser pour des photographies.

— En somme, cela s'est passé comme dans les films ?

— En quelque sorte, oui.

— Et c'était une chose à laquelle vous aviez déjà pensé ?

— Cette idée m'avait traversé l'esprit de temps en temps. Tout le monde me disait d'essayer, mais…

Les yeux de Jay brillèrent d'un éclat plus vif.

— Mais ?

— Eh bien, je rêvais de devenir architecte d'intérieur. De plus, j'étais très grande et très maigre. Ce qui me donnait des complexes.

— Je ne l'aurais jamais cru.

— En fait, j'ai eu beaucoup de chance. Tous mes complexes se sont évanouis lorsque j'ai vu les résultats de ma première séance de poses. Je fais partie de ces gens dont le visage est plus beau en photo que dans la réalité.

Jay ne partageait pas cet avis. Il la trouvait beaucoup plus douce, plus émouvante quand elle ne paradait pas sous les éclairs de magnésium.

— En somme, entre les objectifs des photographes et vous, c'est une histoire d'amour, commenta-t-il.

Keri croisa les doigts.

— Pourvu que ça dure.

— Et qu'arrivera-t-il quand ce sera terminé ?

Jay avait touché le point sensible. Il n'existait pas un mannequin au monde qui ne redoutât la date fatidique où le public se fatiguerait de son image.

— C'est un métier que l'on peut faire pendant des années, affirma la jeune femme, sur la défensive.

— Ce n'était pas ce que je demandais. J'ai dit *quand*, parce que, à l'évidence, il arrivera un moment où vous ne pourrez plus continuer.

Keri recommença à siroter son vin. Cet homme avait l'art de poser les bonnes questions. Ou les mauvaises. Quelle réponse lui donner ? Si elle expliquait que, parfois, elle aspirait à une vie normale — avoir un foyer, un mari, des enfants… — n'en déduirait-il pas qu'elle se sentait insatisfaite, frustrée ?

Ce qui était faux. La vie l'avait comblée. Jusque-là…

Jay la dévisageait, inquisiteur. Elle pria pour qu'il n'ait pas remarqué la rougeur de ses joues. Bah, songea-t-elle, même si cela n'avait pas échappé à son interlocuteur, elle pouvait toujours incriminer la chaleur de la cheminée.

La jeune femme contempla les flammes.

— Je n'ai jamais réellement pensé à l'avenir, affirma-t-elle.

— Ainsi, vous n'avez jamais donné suite à votre projet de devenir architecte d'intérieur ?

— Non.

Keri leva les yeux et rencontra le regard interrogateur posé sur elle.

— J'ai juste réalisé la décoration de mon appartement et celle de la maison de ma sœur, ajouta-t-elle avec un haussement d'épaules. Pour m'amuser. Et cela m'a beaucoup plu.

— Dans ce cas, pourquoi ne pas changer de métier ?

— Parce que je ne me sens pas encore assez vieille pour abandonner celui que j'exerce actuellement, répondit la jeune femme d'un ton caustique. Et même si je souhaitais me reconvertir, il faudrait que je recommence au bas de l'échelle. Je ne suis pas sûre d'être prête pour ce genre de sacrifice.

— En vous installant tout de suite à votre compte, vous n'auriez pas à attendre les promotions.

Keri fronça les sourcils. Depuis quand cet homme était-il expert en plans de carrières ? Etant donné sa propre situation, il était mal placé pour dispenser des conseils.

— Et vous ? rétorqua-t-elle du tac au tac. Vous avez l'intention de rester chauffeur toute votre vie ?

La manière méprisante dont elle prononça le mot *chauffeur* n'échappa pas à Jay. Il sourit tout en remplissant les verres. Il était manifeste qu'elle voulait mettre de la distance entre eux, le renvoyer à sa place de subordonné. Lui faire comprendre qu'il devait cesser de lui poser ces questions d'ordre privé.

Il soupira. Les gens s'accrochaient à leur statut, refusant de voir les choses essentielles, et ils se cachaient derrière comme si cela pouvait les protéger du monde.

— Je prends ce métier pour ce qu'il est. Il me permet de vivre.

— Et vous avez toujours fait cela ? s'enquit Keri. Je veux dire : conduire ?

Jay se retint de rire. Certes, le métier de chauffeur était aussi honorable qu'un autre, mais croyait-elle vraiment qu'il aurait accepté de gaieté de cœur de passer toutes ces années assis derrière un volant, à convoyer des gens aussi futiles qu'elle ?

Il ne se sentait plus d'humeur à bavarder. Il alla ajouter une bûche dans l'âtre. Il n'avait pas l'habitude d'étaler son passé devant le premier venu. Ni la première venue. Sa bouche se pinça.

— Pas toujours, non, marmonna-t-il.

Cette réponse laconique titilla la curiosité de Keri. Les hommes qu'elle côtoyait d'ordinaire adoraient parler d'eux.

— Ah bon ? s'étonna-t-elle. Et quelles sortes de choses avez-vous faites ?

Cette fois, la condescendance qu'il perçut dans ses paroles donna à Jay l'envie de dompter la jeune femme. Une envie qu'il maîtrisa. Pour le moment.

— J'étais dans la US Navy. La marine militaire des Etats-Unis. Un SEAL.

La jeune femme fronça le nez.

— C'est quoi exactement ? J'ai bien entendu parler des Navy SEALs. Mais je n'en sais pas grand-chose.

Tant mieux, songea Jay. Peu de gens en connaissaient davantage. C'était d'ailleurs l'une des raisons pour lesquelles il avait choisi de revenir en Angleterre. Ici, au moins, il ne risquait pas de rencontrer l'un de ces compagnons héroïques avec lesquels il avait vécu dès l'âge de dix-huit ans.

— En fait, le sigle SEAL est composé des premières lettres de SEa-Air-Land, expliqua-t-il. Mer, air, terre. Il désigne une unité de commando de la marine américaine spécialisée dans les interventions anti-terroristes. Et vous voulez savoir en quoi consiste le quotidien d'un SEAL ? Eh bien, on crapahute, on plonge dans les grandes profondeurs, on s'envole jusqu'à des altitudes insensées, on saute dans le vide. On est une sorte d'hybride d'homme-grenouille et de parachutiste.

« Et on a toujours une jolie fille pour nous réconforter », ajouta-t-il en son for intérieur.

— Vous étiez officier, sans doute ?

Cette fois, Jay n'eut pas envie de rire. Ce genre de différenciation serait très important pour elle. Un militaire sans grade ne suffirait pas à Miss Beauté.

— Oui, Keri. J'étais officier, répondit-il gravement.

Elle comprenait beaucoup de choses, à présent. La force, l'ingéniosité, le sang-froid... Et ce corps musclé, ferme, résultat d'années d'entraînement intensif.

Il devait aussi à son engagement dans la marine des Etats-Unis son accent légèrement traînant et l'aisance avec laquelle il parlait. Qui mieux que les Américains savaient briser les barrières de classes ?

— Ainsi, vous êtes vraiment américain ? conclut Keri.

Elle semblait décontractée, à présent. Elle étendit un instant ses longues jambes pour les replier aussitôt d'un mouvement gracieux. Jay songea qu'il était prêt à bavarder avec elle aussi longtemps qu'elle le souhaitait si cette conversation avait le don de la mettre à l'aise.

— Moitié américain, moitié anglais. Ou peut-être ni l'un ni l'autre. Cela arrive parfois, quand on est partagé entre deux cultures.

Dans d'autres circonstances, il aurait changé de sujet. Mais ils se trouvaient là, tous les deux, isolés, et cette situation était propice aux confidences.

— J'ai grandi dans les deux pays après le divorce de mes parents, poursuivit-il. Mon père était américain, ma mère, britannique. J'avais la double nationalité, ce qui m'a permis de m'engager.

Keri cilla, en proie à la plus grande perplexité. Un poste d'officier dans la marine américaine n'était-il pas grandement préférable à *ceci* ?

— Et... vous avez... vous avez... été obligé de partir ? s'enquit-elle.

— Vous me demandez si l'on m'a mis à la porte ?

— Non, ce n'est pas ce que j'ai voulu dire...

— Bien sûr que si. La réponse est non. Je suis parti parce que j'ai jugé que le moment était venu de partir.

— Vous en aviez assez ?

Oh oui ! Il en avait eu plus qu'assez. Il avait eu trop de preuves de la fragilité humaine, et côtoyé la mort trop souvent. Des expériences de ce genre s'apparentaient à un jeu. Un jeu adapté seulement à des hommes jeunes et forts, dotés d'une confiance illimitée en eux-mêmes. Lorsqu'on avait perdu cette foi, que l'on ne se sentait plus invincible, il fallait tirer sa révérence.

— En quelque sorte, oui, répondit Jay.

Cette fois, il ne put repousser les souvenirs qui venaient le hanter si souvent. Des images liées à la mort, à la trahison. A l'honneur. L'honneur, toujours. L'honneur et le service.

— Ce genre de métier a ses limites, poursuivit-il. Comme le vôtre, probablement.

Un muscle du visage masculin tressaillit soudain et la jeune femme le remarqua. Elle remarqua aussi une minuscule cicatrice barrant sa joue, qu'elle n'avait pas vue auparavant. Elle tendit la main, comme pour la toucher, mais n'acheva pas son geste.

— Comment vous êtes-vous fait cela ?

Les yeux de Jay prirent une expression dure, froide.

— Oh, ce n'est rien, affirma-t-il.

Keri comprit qu'elle devrait s'en tenir là. Elle détourna la tête et se mit à contempler les flammes rougeoyantes, en proie à un étrange sentiment de désarroi. Elle se trouvait seule, dans un endroit désert, en compagnie d'un homme qu'elle connaissait à peine. Un homme avec de vrais muscles et un visage balafré. Un homme de chair et de sang, pas un produit de la ville vêtu de soie.

Elle aurait dû s'inquiéter, se tenir sur ses gardes, mais curieusement, elle éprouvait un bien-être total. La chaleur de l'âtre, le plaisir de bien manger, qu'elle n'avait pas ressenti depuis longtemps, celui de boire du vin, avaient suscité en elle une impression de quiétude rare. Pourtant, une petite voix intérieure l'avertissait que quelque chose, dans ce scénario idyllique, n'allait pas. Comment était-ce possible ?

Elle reporta son attention sur Jay, s'aperçut qu'il l'observait. Ses yeux sombres dont elle n'avait pas encore pu déterminer la couleur brillaient d'un éclat encore plus fort. Sous ce regard intense, elle se troubla. Il lui sembla soudain que mille petites aiguilles lui picotaient la peau.

Jay perçut un changement dans l'attitude de la jeune femme. Elle paraissait moins crispée, presque détendue, comme on l'est après l'orgasme. A cette pensée, une nouvelle bouffée de désir l'assaillit.

Il posa son verre vide sur la table, se pencha, tendit la main pour effleurer la joue de sa compagne. Ce contact soyeux, infiniment doux, attisa le feu de ses sens. Instinctivement, ses doigts remontèrent jusqu'au front barré d'une frange épaisse et commencèrent à jouer avec les cheveux bruns.

Il crut qu'elle allait le repousser ou lui demander de quel droit il se permettait une telle familiarité, mais elle ne bougea pas. Et ne prononça qu'un mot :

— Jay…

Le son s'était exhalé des lèvres féminines dans un souffle.

— Mmm ? murmura-t-il, percevant les battements affolés de son propre cœur. Vous ne voulez pas que je vous recoiffe, Keri ? demanda-t-il. Vos cheveux sont tout en désordre.

Il se moquait d'elle, songea-t-elle. Déjà, elle sentait les doigts masculins se déplacer vers la partie inférieure de son visage, suivre la ligne de sa mâchoire, se faufiler vers son cou. Geste innocent somme toute, mais chargé d'un érotisme qu'elle n'avait jamais connu. N'était-il pas ridicule de se mettre dans un tel état pour si peu ?

— Vous ne voulez pas ? insista-t-il.

— Si cela vous fait plaisir…, répondit-elle.

— Seulement si cela me fait plaisir ? Alors, je dois avoir perdu mon doigté.

La remarque arrogante aurait dû inciter la jeune femme à ériger de nouveau ses barrières de protection. Elle éprouva seulement une curiosité stupide de savoir s'il était vraiment aussi expert en la matière qu'il le laissait entendre.

Perdu son doigté ? Il osait insinuer qu'il avait perdu son doigté, alors que le simple contact de sa main éveillait chez la jeune femme des sensations voluptueuses !

Elle ferma les yeux sous la caresse, tandis que des frissons lui parcouraient la colonne vertébrale, que le sang affluait à ses tempes, que ses terminaisons nerveuses réagissaient comme si on les avait branchées sur une ligne à haute tension.

— Est-ce que… Est-ce que nous avons raison de faire ce que nous sommes en train de faire ? bredouilla Keri d'une voix qu'elle ne reconnut pas.

5.

Jay faillit rétorquer qu'ils ne faisaient rien… du moins pour l'instant. Il se contenta de sourire.

— Si je vous touche, ce n'est pas un crime capital, n'est-ce pas, ma jolie ?

— Ce… Ce n'est pas ce que je voulais dire.

— Ah, d'accord…

Le sourire masculin se transforma en un rictus sarcastique.

— Vous voulez dire que nous commettrions une faute professionnelle ? Parce que je suis le chauffeur et que vous êtes ma… ma cliente ?

Ce dernier mot résonna d'une manière désagréable aux oreilles de la jeune femme. Déjà, Jay poursuivait, d'un ton enjôleur, cette fois :

— Mais je ne suis pas en service en ce moment, Keri. Vous non plus, d'ailleurs. Et ce que nous faisons de notre temps libre ne regarde que nous. Est-ce que je me trompe ?

Vues sous cet angle, les choses prenaient un tour différent.

— Non, approuva-t-elle lentement. Je crois que non…

Elle avait peine à garder les idées nettes. Etourdie par la caresse de Jay, par l'éclat de ses yeux, par le chahut de son propre sang dans ses veines, elle souhaitait de toute son âme qu'il la touchât encore et encore. Partout.

— Un si joli cou, murmura-t-il d'une voix soudain rauque. Comme celui d'un cygne, si pâle, d'une ligne si pure.

Keri sourit à ces mots et il lui rendit son sourire, sachant parfaitement ce qu'une femme souhaitait quand elle souriait ainsi à un homme. Contre toute attente, elle était devenue accessible, docile. Il se pencha vers elle, posa les lèvres à l'endroit où se trouvaient ses doigts tout à l'heure. Il entrouvrit la bouche doucement pour réchauffer de son souffle la peau de la jeune femme. Alors, il la sentit frémir, tandis qu'elle l'agrippait aux épaules.

Il la gratifia ensuite de mille petits baisers à la base du cou, puis lui encadra le visage de ses paumes avant de l'embrasser longuement, profondément.

Elle accueillit ses lèvres, sa langue, avec gourmandise et commença à onduler contre lui, sans protester lorsqu'il l'amena à s'allonger sur le tapis et la serra dans ses bras.

Il avait pensé affronter un bloc de glace, il découvrait un brasier. Il aventura sa main sous la jupe, s'attendant à être repoussé avec indignation. Mais Keri le laissa faire dans un gémissement qui l'encouragea à poursuivre son exploration jusqu'à atteindre le porte-jarretelles et l'espace de peau soyeuse entre le bas et le sous-vêtement arachnéen. Ainsi, il s'était mépris sur cette femme. A l'évidence, elle était mille fois plus sensuelle qu'il ne l'avait cru au premier abord.

Il se risqua à caresser l'intérieur de ses cuisses. Elle bougea alors d'une manière encore plus lascive et, d'une voix que le plaisir rendait rauque, chuchota :

— Jay !

— Oui… ? souffla-t-il.

A présent, il avait posé la bouche sur les seins menus qui pointaient à travers le mince chandail. Aussitôt, elle plongea les doigts dans les cheveux de Jay, dont elle pressa la tête contre sa poitrine. Il choisit ce moment pour se coucher sur elle et prendre de nouveau ses lèvres.

— Oh, Jay !

Il s'écarta légèrement, la considéra, les yeux brillants, sans cesser ses caresses.

— Qu'y a-t-il ?

— C'est bon, chuchota-t-elle. Tellement bon !

— Et comme ça, est-ce que c'est toujours bon ? s'enquit-il.

Ses doigts s'étaient déplacés, légers, pour se glisser dans l'exquise moiteur de la petite culotte de dentelle. Le corps de Keri réagit aussitôt. Jay recommença à l'embrasser avec une passion qu'il ne pouvait plus contrôler. Il se trouvait dans la situation d'un homme qui, après avoir allumé une allumette, découvrait qu'il avait de la dynamite entre les mains.

Son désir devint impératif. « Ne va pas trop vite, se recommanda-t-il. Prends ton temps. »

Toutefois, l'impatience de Keri était évidente. Jay avait assez d'expérience pour savoir reconnaître le moment où le désir d'une femme avait atteint ses limites. D'un geste brutal, il retroussa la jupe de cuir. Les jambes s'ouvrirent, accueillantes. Avec un murmure, il fit glisser la culotte le long des hanches, remarquant que sa compagne se soulevait pour lui faciliter la tâche. Oh oui, elle en avait envie — peut-être même encore plus que lui !

Il remonta la jupe un peu plus haut. Dans ce genre de situation, le cuir n'était pas la matière la plus facile à manipuler. Mais il n'existait pas au monde une jupe — fût-elle de cuir ou non — qui l'eût incité à renoncer. Bientôt, le cuir froissé occupa la place que les mains de Jay lui imposèrent : à la taille de Keri, laissant la jeune femme délicieusement accessible.

— Et maintenant, murmura-t-il, que faisons-nous ?

— Tout, répondit-elle dans un souffle. Tout ce que vous voudrez.

— Comment un homme résisterait-il à une telle invitation ?

Elle éprouva un mélange d'incrédulité et de bonheur quand il se laissa glisser lentement vers le bas de ses cuisses. Bientôt, le visage de Jay se trouva au niveau des genoux de Keri. Non, elle n'avait jamais aimé cela. Elle ne l'avait jamais permis... Et pourtant, elle ne fit rien lorsqu'elle sentit les lèvres de Jay, sa langue, courir le long de sa peau pour se frayer un chemin jusqu'au cœur de son intimité. Alors, une plainte s'échappa de sa bouche.

C'était comme si elle se trouvait catapultée dans une dimension inconnue, comme si quelqu'un s'était infiltré sous sa peau pour habiter son corps. Elle ne pouvait à présent réprimer d'autres petits gémissements.

— Oh, Jay ! Jay...

Elle allait mourir, c'était certain. Il fallait empêcher les choses de progresser jusqu'à l'issue fatale. C'était à elle qu'il incombait d'y mettre fin.

Seulement, elle ne le pouvait pas.

Ne le voulait pas.

Pas maintenant.

Surtout pas maintenant, au moment où quelque chose d'inouï était en train de se produire. Quelque chose qui répandait en elle une chaleur intense, qui suscitait dans sa chair une faim intolérable qu'elle devait absolument assouvir.

— Jay, supplia-t-elle encore d'une voix à peine audible.

Il ne répondit pas, trop occupé à orchestrer la montée de la jouissance de sa compagne, goûtant la douceur enivrante de sa féminité, la taquinant d'une langue agile, jusqu'à lui arracher des sanglots de la gorge.

Keri entendait ses propres cris, qui semblaient provenir de très loin — peut-être même les avait-elle imaginés, parce qu'elle n'avait jamais crié ainsi. Etait-ce de la peur, du désespoir ? Appelait-elle au secours ? Elle avait l'impression de se trouver dans un train lancé à grande vitesse et impossible à arrêter.

Jay comprit qu'elle approchait de l'orgasme et les caresses de sa langue se firent plus précises, plus appuyées. Enfin, il la sentit jouir contre sa bouche.

Le souffle de Keri se ralentit. Elle eut encore un spasme, puis demeura immobile, le corps comblé, s'étonnant du charivari que venaient de subir ses sens. Certes, elle avait déjà fait l'amour, mais elle n'avait pas encore éprouvé ce paroxysme de plaisir. Et cette expérience magnifique, elle la devait à un parfait étranger.

Tandis qu'une onde de chaleur bienfaisante se propageait dans sa chair, il s'étendit de nouveau sur elle. Doucement, il écarta une mèche de cheveux qui tombait sur la joue humide de sueur.

— Maintenant, regarde-moi, ordonna-t-il à mi-voix.

Avec prudence, elle ouvrit les yeux, se demandant quelle expression elle découvrirait dans ceux de Jay. Que penserait-il d'elle, maintenant ? Comment la jugerait-il après l'avoir vue réagir d'une manière aussi primitive, sans aucune inhibition ? Avec soulagement, elle ne lut dans le regard sombre, ardent, qu'une infinie douceur.

Quand il l'embrassa, elle reconnut sur ses lèvres l'odeur de sa féminité. Cette sensation lui parut si incroyablement intime qu'elle inspira et étreignit Jay de toutes ses forces, afin d'être encore plus proche de lui.

— C'est bon, n'est-ce pas ? chuchota-t-il.

Il toucha la jupe roulée autour de la taille de la jeune femme.

— Il fait assez chaud, à présent, pour retirer cette chose qui nous sépare, tu ne penses pas ?

La question n'attendait pas de réponse. Quelques secondes plus tard, la jupe de cuir gisait sur le plancher. Le chandail de Jay connut le même sort. Dessous, il portait un T-shirt sombre et moulant sous lequel saillait sa formidable musculature. Il s'en débarrassa avec la même impatience. Keri vit alors la peau bronzée, dénudée jusqu'à la ceinture. Elle laissa ses doigts glisser sur la soie du torse magnifique.

— Tu es beau, murmura-t-elle d'une voix timide.

Il sourit. Pendant un moment, il avait pensé qu'elle se révélerait une maîtresse égoïste — une partenaire préoccupée par son seul plaisir, capable de prendre, mais ne sachant pas donner. Grâce au ciel, il s'était trompé.

Elle revenait à la vie. Le contraste entre sa timidité présente et la passion qu'elle avait manifestée tout à l'heure émut Jay. Il la regarda, s'émerveilla des lignes pures de son corps svelte.

— Tu veux me retirer mon jean, Keri ? demanda-t-il.

Il guida la main jusqu'au niveau de ses propres hanches.

Elle n'osa refuser — bien qu'elle se sentît, gauche, inexpérimentée devant un geste pourtant des plus simples.

Ses doigts tremblaient. Il le constata et la taquina :

— Tu as peur de me faire mal ?

— Je… Je ferai de mon mieux.

Jay ne put s'empêcher de rire. La femme qui venait de lui offrir l'orgasme le plus inoubliable se conduisait comme une adorable vierge.

Tant bien que mal, elle lui ôta le jean et le reste. Lorsque enfin, il se retrouva nu, il la dévêtit entièrement elle aussi. Puis il l'attira contre lui, l'enveloppa de ses membres vigoureux, propageant dans le corps de la jeune femme une onde brûlante. Dès lors, une seule pensée accapara l'esprit de Keri. Il fallait qu'ils fassent l'amour. Qu'ils le fassent vraiment. C'était une nécessité, un besoin vital.

— Oh, Jay…

— Oui ?

Comment cela s'était-il produit ? Et à quel moment ? La tête de la jeune femme tomba lourdement sur l'épaule de son amant quand il commença à lui caresser les seins. Il n'avait qu'à l'effleurer pour rallumer dans sa chair un brasier.

— Tu me rends…, commença-t-elle.

Les mots lui manquaient. En vérité, il n'existait pas de mots pour exprimer ce qu'elle éprouvait.

— Impudique ? chuchota Jay contre sa joue. C'est normal. Parce que je fais tout pour que tu le sois. Surtout, ne te contrôle pas, mon ange. Touche-moi aussi. Et sens combien je te veux.

Elle s'exécuta, explora chaque centimètre du corps masculin, s'émerveilla de cette virilité puissante et glorieuse, comme si elle ne s'était jamais trouvée dans une situation aussi intime avec un homme.

Peut-être cela ne lui était-il jamais arrivé, après tout ? En tout cas, pas de cette manière. Avec avidité, elle encercla de ses doigts impatients le sexe de Jay, aussi dur qu'un roc, ondulant contre son bas-ventre tout en lui mordillant la poitrine.

Il frémit à ce contact. Elle était passionnée. Trop passionnée. Il comprit qu'il ne pourrait plus attendre. Il avait atteint ses propres limites.

Il se déroba, échappant à l'emprise de Keri qui, alarmée, ouvrit les yeux.

— Tu… Tu veux une protection, n'est-ce pas ? demanda-t-il.

La question, sensée, n'attendait pas de réponse. Déjà, Jay tendait la main vers son jean. De l'une des poches, il sortit un préservatif.

Deux secondes plus tard, il se glissait dans la chaude moiteur de Keri. Elle l'accueillit avec un abandon fébrile.

La première vague de jouissance la secoua avec une force inouïe, sans émousser son désir cependant. Mêlant les doigts à ceux de son amant, elle suivit le rythme qu'il lui imposait. Et même lorsqu'elle le sentit exploser en elle, elle continua à le pousser toujours plus loin, à exiger davantage. Elle écrasa les lèvres sur les siennes, insatiable, avant de les faire glisser le long de sa gorge, où battait son pouls. Il murmura des paroles incohérentes auxquelles elle ne sut répondre que par des gémissements, tandis qu'elle le sentait durcir de nouveau au creux de sa féminité.

Au bord de la folie, il la dévora de baisers brûlants, profonds. Longue comme une liane, elle s'enroula autour de lui. Jay ouvrit les yeux pour la contempler. Soudain, il vit le regard féminin se voiler, les lèvres frémir. Il s'aperçut aussi qu'elle tremblait entre ses bras. Un courant de plaisir le traversa tout entier. Keri lui sourit. Et ce sourire lent, radieux, le combla d'une joie ineffable. Il ne pouvait se trouver plus près du paradis, ni plus loin de l'enfer, eut-il le temps de penser, avant qu'une onde de volupté neuve ne le projetât vers les étoiles.

Que m'est-il arrivé ? s'interrogeait la jeune femme, alanguie contre son amant. Jamais un tel déferlement de passion sauvage, primitive, n'avait assailli son corps. Quelles drôles de choses que les émotions ! Elles vous prenaient d'assaut au moment où vous vous y attendiez le moins. Les femmes, surtout, étaient vulnérables après l'amour. Keri plus encore qu'une autre. Elle venait de connaître un plaisir jamais éprouvé et voilà que le doute l'envahissait, qu'un sentiment d'insécurité s'infiltrait en elle. Elle se mordilla les lèvres.

La tête de Jay reposait sur l'épaule de la jeune femme. Engourdi dans une délicieuse torpeur, il bâilla, ferma les paupières.

Bientôt, Keri entendit la respiration de son amant devenir régulière et elle sentit son cœur se serrer. Elle n'attendait aucun réconfort de la part de cet homme. Non. Elle voulait seulement qu'il lui parle. Qu'il dise n'importe quoi, même un mensonge. Car que pouvait-elle lui dire, elle, après ce qui s'était passé ? Elle n'en avait aucune idée puisque, jusque-là, elle n'avait jamais vécu d'expérience aussi forte.

Dans son demi-sommeil, Jay perçut la soudaine tension du corps allongé près du sien. Pourquoi les femmes ne vous laissaient-elles jamais dormir ? Ignoraient-elles qu'un homme était vide — littéralement vide — après l'orgasme ? Qu'il avait perdu une partie de sa substance pendant l'acte d'amour et qu'il avait besoin de récupérer son énergie ? Mais il savait qu'il lui devait plus que cela… Après tout, ne l'avait-elle pas comblé ? Au-delà de toute attente ?

Il souleva la tête, les yeux embrumés, prêt à exprimer sa satisfaction, quand il remarqua la crispation des traits féminins.

— Tu as toujours l'air aussi contrarié après ? demanda-t-il doucement.

Sans faux-fuyants, elle répondit :

— Je ne sais pas. C'était… C'était ma… ma première fois.

Un grand froid envahit Jay. Mon Dieu, non ! Pas cela !

— D'après la manière dont tu as réagi, je n'aurais jamais pensé que tu étais vierge.

— Ce n'est pas ce que je voulais dire. Bien sûr que je ne suis pas vierge.

Jay plissa les paupières, désorienté.

— Alors qu'entendais-tu par « première fois » ?

— Mon premier orgasme, expliqua Keri, d'une petite voix. Ou plutôt mon second, maintenant.

6.

Dans le silence qui suivit, Keri perçut les battements désordonnés de son cœur. Sans doute Jay les entendait-il aussi. Ils se tenaient si étroitement liés l'un à l'autre.

— Répète cela, dit-il.

Un aveu de ce genre n'était déjà pas facile à faire une fois. Le réitérer exigeait un effort trop grand. Pourtant, elle avait conscience qu'elle ne pouvait plus se permettre de reculer.

— Je n'avais jamais eu d'orgasme, articula-t-elle.

Il s'écarta abruptement, attrapa l'une des couvertures empilées près d'eux et la jeta sur leurs deux corps. Ensuite, il se souleva, s'appuya sur un coude et considéra la jeune femme sans ciller.

— Tu plaisantes ?

— Crois-tu que mon sens de l'humour soit perverti à ce point ? rétorqua-t-elle.

Jay se pencha, enroula autour de ses doigts une mèche des cheveux de Keri et joua avec. Stupidement, elle éprouva un sentiment de frustration. Elle voulait qu'il la touche comme il l'avait touchée tout à l'heure, afin de retrouver cette intimité qu'ils avaient expérimentée. En sachant, toutefois, qu'il s'agissait d'une illusion. Elle avait été proche de cet homme, certes. Mais seulement physiquement. Ce qui, finalement, ne comptait pas.

— Comment expliques-tu cela ? murmura-t-il.

Elle se mit à trembler et il la reprit dans ses bras.

La jeune femme résista à l'envie de se blottir contre lui, sentant confusément que ce geste paraîtrait indécent.

— Tu n'espères tout de même pas que je vais te dresser un bilan de ma catastrophique vie amoureuse ! s'exclama-t-elle.

Elle paraissait si désemparée qu'il la pressa contre lui et lui déposa un baiser furtif sur le front.

— Tu n'es pas obligée de t'expliquer si tu n'en as pas envie, chuchota-t-il en lui effleurant le dos du bout des doigts.

Ce geste innocent n'aurait pas dû exciter les sens de Keri, mais elle avait goûté au plaisir et elle aspirait à d'autres caresses, plus intimes.

C'était cependant pure folie, elle en avait conscience. Céder à la passion dans le feu de l'action pouvait se comprendre, mais recommencer prendrait une signification différente.

La jeune femme s'écarta légèrement de Jay, de manière à ce que ses seins ne soient plus en contact avec son torse.

— Il n'y a rien à comprendre, murmura-t-elle. Cela ne m'est jamais arrivé avant, c'est tout.

— J'ai du mal à le croire, affirma-t-il.

Son index suivit les contours de la bouche charnue proche de la sienne. Si tentante.

— Tu es vraiment très belle. J'aurais pensé que les hommes auraient eu à cœur de déployer tous leurs talents d'amants pour combler une femme aussi ravissante que toi.

Une femme aussi ravissante que toi. Keri avait passé sa vie d'adulte à entendre les gens vanter sa plastique. Elle était lasse de ce genre de compliments.

Quelqu'un comme Jay se trouvait-il en mesure de comprendre que la beauté physique n'apportait pas que des avantages ? Que, bien souvent, cela avait été pour la jeune femme source de difficultés dans ses relations ? Jusque-là, la plupart des hommes l'avaient considérée comme un objet de possession — une pièce de porcelaine précieuse et fragile que l'on devait traiter avec respect. Avec vénération. Or, la porcelaine était froide, tandis qu'elle-même était faite de chair chaude et de sang. Cela, elle venait juste de le découvrir auprès de Jay.

Si elle n'avait pas été allongée aux côtés de cet homme, devant une cheminée où des bûches crépitaient, peut-être s'en serait-elle tenue là ? Peut-être aurait-elle refermé le chapitre concernant sa sexualité ? Mais le soudain fracas du vent contre les vitres lui rappela qu'au-dehors, la tempête sévissait toujours et qu'ils se trouvaient, Jay et elle, entièrement coupés du monde, protégés de la neige et du froid glacial dans cette pièce éclairée seulement par les flammes de l'âtre. Circonstance exceptionnelle qui levait tous les tabous.

— Je pense que j'intimide les hommes, expliqua-t-elle, tournant la tête vers son amant.

Lui, au moins n'avait pas été intimidé, songea-t-elle, en proie à une onde voluptueuse au souvenir de leurs étreintes.

— Ce qui rend encore plus surprenante la manière dont j'ai réagi avec toi, ajouta-t-elle.

Il attendit un instant, avant de répliquer d'un ton railleur :

— Tu veux dire le modeste chauffeur et le célèbre mannequin ? Cela arrive assez souvent, Keri. La littérature est pleine de couples mal assortis — le roi et la bergère, la Belle et la Bête.

Il caressa le ventre de la jeune femme d'un geste possessif et la sentit frissonner sous le contact de ses doigts.

— Alors, qu'est-ce qui t'a fait chavirer ? continua-t-il. Appartiens-tu à cette catégorie de femmes qui aiment les manières un peu frustes ? A moins que ce ne soit mon passé dans la marine qui t'ait séduite ? Beaucoup de femmes sont sensibles au prestige de l'uniforme, tu sais…

Comment avait-elle pu, un seul instant, s'imaginer être à l'abri de tout dans cet endroit, avec cet homme dont les paroles se révélaient soudain aussi blessantes que des flèches ? Elle tenta de repousser la main de Jay.

— Arrête ! ordonna-t-elle. Comment oses-tu dire des choses pareilles ?

Mais il lui attrapa les doigts, les entremêla aux siens et rapprocha son visage de celui de la jeune femme.

— Ce n'était pas une insulte, protesta-t-il dans un murmure. J'évoquais seulement un problème que tu aimerais peut-être résoudre afin de ne plus jamais y penser.

Ces paroles la blessèrent encore davantage sans qu'elle comprît pourquoi sur le moment. Puis l'explication lui sauta aux yeux : elle s'était donnée librement à cet homme, avec passion, et à présent, il ne trouvait rien de mieux à faire que de l'aider à se débarrasser de ses difficultés passées pour envisager un avenir dont il serait exclu. Car tout les séparait : leur style de vie, leur situation sociale. Qu'avaient-ils en commun, sinon une évidente compatibilité physique ?

— Eh ? reprit-il. Il existe une solution à chaque problème, tu sais. Ne fais pas cette tête d'enterrement.

Keri releva le menton d'un air de défi.

— Je ne fais pas une tête d'enterrement, protesta-t-elle.

Et elle s'efforça de sourire.

— Ah, j'aime mieux ça.

Il lui caressa la joue. Elle l'embrassa sur les lèvres, légèrement d'abord, puis le baiser se fit plus intense, plus profond.

Il émit un grognement, ferma les yeux et oublia le monde qui les entourait. Il bougea la tête, entendit la respiration de la jeune femme s'accélérer lorsqu'il posa sa joue mal rasée sur la poitrine menue.

Elle gémit au contact de la langue sur son sein.

— C'est toujours aussi bon ? demanda-t-il.

— Non, je déteste.

Jay rit. Il lui était plus facile de faire durer le plaisir quand sa partenaire conservait le sens de l'humour. Du moins, au début des ébats amoureux.

— Jay, est-ce que cela t'arrive souvent de… ?

Keri s'interrompit. Il termina la question à sa place.

— D'être bloqué dans la neige avec de superbes mannequins ? A vrai dire, c'est assez rare.

Il la taquinait, bien sûr. Recouvrant son sérieux, il poursuivit :

— Si tu veux savoir si je couche à droite et à gauche sans discrimination, alors, la réponse est non. Mais si c'est le nombre de mes aventures amoureuses qui t'intéresse, je te répondrai que cela ne te regarde pas. Et *vice versa*. C'est équitable, non ?

Que ce fût équitable ou non, elle s'en moquait. Une seule chose lui importait : goûter de nouveau le plaisir qu'elle avait connu dans les bras de Jay. Le corps offert, elle s'ouvrit à lui, attendant qu'il la prît comme il l'avait prise tout à l'heure.

Mais son compagnon avait d'autres idées en tête. Après s'être protégé, il souleva la jeune femme, l'amena à s'asseoir sur lui, jambes écartées, puis, d'une voix rauque, murmura :

— A ton tour, Keri, fais-moi l'amour.

Elle n'osait pas. Il la sentait intimidée comme une jeune vierge. Bon sang, quel genre d'hommes avait-elle connus jusque-là ? D'un ton très doux, il ajouta :

— Seulement si tu en as envie.

— Oui, j'en ai envie, chuchota-t-elle. Plus que tout au monde.

— Moi aussi. Moi aussi…

Comme c'était étrange d'assumer la position dominante avec un homme aussi dominateur ! Etrange et merveilleux. Keri commença à bouger, attentive à la manière dont Jay réagissait à ses mouvements et à ses caresses, tandis qu'il l'encourageait par des mots chuchotés tout en lui effleurant les seins du bout des doigts. Bientôt, elle perdit le reste de ses inhibitions pour prendre entièrement les rênes de la situation, sentant avec une joie ineffable la chaleur, la tension grandir dans le corps de son amant. Elle n'éprouvait plus ni hésitation, ni crainte, ni même le moindre doute. Elle découvrait l'extraordinaire étendue de son pouvoir. « Laisse-moi t'aimer, disaient ses yeux, laisse-moi te montrer… »

D'un coup de reins, il se souleva vers elle. Sous l'emprise d'un désir sauvage, farouche, il ne se contrôlait plus et cette fureur la comblait. Les doigts enfoncés dans les hanches de sa partenaire, il ne traitait pas celle-ci comme un objet fragile qu'il fallait protéger, mais comme la femme à laquelle il voulait tout prendre et tout donner.

Elle se cambra avant de l'accueillir en elle, triomphante.

Ils connurent la jouissance en même temps. Le même courant de plaisir les traversa avec une force inouïe, leur arrachant plaintes et gémissements jusqu'à ce que le souffle vint à leur manquer. Alors, les sens enfin apaisés, ils restèrent étendus, haletants, membres entremêlés, et se laissèrent lentement glisser vers le sommeil.

7.

Keri s'éveilla, endolorie, mais comblée, nue sous la couverture. Elle battit des paupières, l'esprit engourdi, persuadée d'être encore endormie. Puis, avec précaution, elle ouvrit grand les yeux.

Où diable se trouvait-elle ?

Une pâle lumière hivernale filtrait à travers de hautes fenêtres aux vitres colorées, derrière lesquelles apparaissait un mur de neige. De la neige. Immédiatement, la mémoire lui revint et, avec elle, le souvenir de la longue nuit érotique qu'elle avait vécue. Elle tourna la tête pour découvrir l'espace près d'elle, vide.

Jay.

Parti.

Il lui avait fait l'amour encore et encore, lui avait demandé qu'elle lui fasse l'amour à son tour. Elle avait perçu la chaleur de la couverture qu'il avait étendue sur leurs deux corps épuisés, puis elle avait sombré dans le sommeil.

La jeune femme s'assit, ses longs cheveux répandus sur ses épaules. Où était-il ? Et pourquoi n'osait-elle pas l'appeler, alors que, la nuit dernière, elle s'était donnée à lui sans réserve, criant son nom sous l'emprise du plaisir ?

— Jay !

Il était là, tout à coup, debout sur le seuil, appuyé contre le chambranle de la porte, son beau regard posé sur elle. Il s'était déjà rhabillé, remarqua-t-elle avec un sentiment de frustration. La barbe qui ombrait ses joues le rendait encore plus séduisant.

Pour la première fois, elle distingua la couleur de ses yeux. Ils étaient gris-vert et ils la fixaient, énigmatiques. « Dis quelque chose, Jay, supplia-t-elle mentalement. Parle-moi, je t'en prie. »

— Bonne nouvelle, annonça-t-il en souriant. Le courant est revenu.

Il tendit la main vers l'interrupteur et la lumière inonda la pièce, si vive que la jeune femme en fut éblouie.

Keri aurait dû manifester de l'enthousiasme, elle le savait, mais en cet instant, le courant électrique était le dernier de ses soucis.

— Tant mieux, répondit-elle. Mais éteins, s'il te plaît. La lumière me fait mal aux yeux.

Jay s'exécuta sans un mot.

Elle aurait voulu qu'il dise quelque chose. Quoi au juste ? Que la nuit dernière avait été merveilleuse ? Qu'il souhaitait revivre ces moments inoubliables ? Au contraire, il demeurait silencieux et elle se sentit redevenir timide et mal à l'aise. Comme une écolière admise à jouer dans la cour des grandes sans qu'on lui ait donné les règles du jeu.

— Tu veux faire ta toilette ? interrogea Jay après un long silence.

Keri perçut soudain sur son propre corps les effluves de l'amour et songea qu'elle aurait voulu conserver ces précieuses odeurs longtemps encore.

— Il y a des serviettes ? s'enquit-elle d'une voix mal assurée.

— Oui.

Elle drapa la couverture autour de sa nudité, se leva et — elle qui avait l'habitude de défiler sur les podiums d'une démarche féline au rythme d'une musique altière ou langoureuse — se sentit aussi gauche et maladroite qu'un faon nouveau-né. Si l'orgasme produisait sur elle un tel effet, elle préférerait s'en passer désormais !

Au moment où elle arrivait à sa hauteur, Jay tendit le bras pour la saisir par la taille et l'attirer contre lui. Il pencha alors la tête vers elle et elle perçut la chaleur de son souffle.

— Je meurs d'envie de recommencer moi aussi, chuchota-t-il.

Elle ferma les yeux avant de répliquer dans un murmure :

— Je n'ai jamais dit de quoi j'avais envie.

— Tu n'as pas besoin de dire quoi que ce soit. C'est inscrit sur ton visage.

L'arrogance de ces mots la contraria. Etait-elle transparente à ce point ? Ou bien toutes les femmes réagissaient-elles ainsi après avoir fait l'amour avec lui ?

— Aurais-tu l'audace de me reprocher ma conduite de cette nuit, alors que toi-même…, commença-t-elle.

Il ne la laissa pas terminer sa phrase.

— Te reprocher ta conduite de cette nuit ? répéta-t-il en fronçant les sourcils. Tu as perdu la tête ? Je ne te reproche rien du tout.

Il resserra son étreinte.

— Nous étions deux, Keri, poursuivit-il. Deux adultes consentants et responsables. Ce que nous avons vécu a été merveilleux. Et si nous recommencions maintenant, nous serions tout aussi consentants et responsables. Tu n'es pas de mon avis ?

— Responsables ? répéta-t-elle machinalement.

— Oui.

Jay plissa les yeux.

— Mais peut-être que quelqu'un t'attend, ajouta-t-il. Hier soir, tu étais pressée d'arriver à Londres. Tu avais un rendez-vous. Avec qui ?

La jeune femme le fixa, ébahie, comme s'il avait évoqué un univers qui lui était étranger. Puis, soudain, elle se rappela. Seigneur !

— Avec David, répondit-elle d'un ton lugubre.

David. Naturellement. Il s'en doutait — pourquoi aurait-il envisagé autre chose ? Il esquissa une moue, laissa retomber ses bras, libérant la jeune femme et, s'appliquant à masquer toute émotion, fit remarquer :

— Eh bien, il doit être en train de se faire du souci en ce moment, tu ne crois pas ?

Mortifiée, Keri le dévisagea. Il aurait pu au moins l'interroger sur David. Elle voulut expliquer qu'il s'agissait d'un ami et de rien d'autre, mais devant le visage impavide de son interlocuteur, elle demeura muette. S'il ne lui posait aucune question, c'était pour une raison claire comme de l'eau de roche.

Il se moquait de savoir qui était David.

Les lèvres de Jay se pincèrent dans une expression de dédain.

— Il a dû entendre parler de la tempête de neige et il doit être fou d'inquiétude, reprit-il. Y as-tu pensé, Keri ?

Elle n'avait pensé à rien, sinon au contact de leurs deux corps nus, aux baisers, aux caresses qu'ils avaient échangées. Le monde extérieur se serait-il dissous dans le néant qu'elle ne s'en serait pas aperçue.

Mal à l'aise sous le regard froid qui l'observait, elle haussa les épaules.

— Cela m'est sorti de l'esprit, expliqua-t-elle.

— Dans ce cas, je suggère que nous essayions de partir d'ici. Va te doucher et t'habiller. Je vais aller voir dans quel état est la route. J'espère que je réussirai à dégager la voiture.

— Veux-tu que je t'aide ?

— Non. J'y arriverai mieux tout seul. Prépare-nous plutôt quelque chose à manger. Je reviens dès que je peux.

Sur ces paroles brèves, Jay sortit. Il ne lui avait même pas donné un baiser, regretta Keri en gagnant la salle de bains.

Il y avait du savon et un filet d'eau chaude s'écoulait de la douche. Après une toilette succincte, elle enfila les vêtements qu'elle portait la veille, puis retourna dans la cuisine. Là, elle débarrassa la table des reliefs du dîner, les jeta à la poubelle, fit la vaisselle et prépara du thé. Ensuite, elle retourna dans le salon, plia les couvertures et se lova sur le canapé pour attendre le retour de Jay.

Au bout de deux heures, elle entendit le bruit d'une voiture qui s'arrêtait devant la maison. Quelques instants plus tard, Jay entrait. Il avait les yeux brillants et des gouttes de sueur perlaient sur son visage rougi par le froid.

La jeune femme se leva d'un bond, le cœur battant, scruta les traits de son amant à la recherche d'un indice quelconque, mais ne découvrit qu'une expression neutre. C'était insensé, elle en avait conscience, mais au fond d'elle-même, elle souhaitait de toute son âme qu'ils restent bloqués ici plus longtemps.

— Tu as… dégagé la voiture ?

Jay acquiesça d'un hochement de tête.

— Cela n'a pas été difficile. La neige a commencé à fondre sous le soleil. Les routes me semblent praticables. Je pense que nous pouvons rouler. Du moins jusqu'à la prochaine ville. Je te déposerai à la gare. Tu prendras le train.

Ainsi, il avait mis au point sa propre stratégie en déblayant la neige, constata Keri, atterrée de voir s'effondrer ses espoirs de prolonger leurs précieux moments d'intimité.

— Pourquoi ne pas rentrer ensemble par la route ? demanda-t-elle.

— Je ne veux pas prendre de risques. Cela pourrait se reproduire.

Que redoutait-il ? s'interrogea la jeune femme. Qu'ils retombent en panne, ou qu'ils refassent l'amour ?

— Tu veux dire… on part tout de suite ? demanda-t-elle.

— Dans une minute. Le temps d'avaler quelque chose et on s'en va. Je meurs de faim.

— Manger quoi ? Il n'y a rien.

— Les restes du dîner. Il suffit de les réchauffer.

Keri afficha une expression consternée.

— Oh non ! s'exclama-t-il en la dévisageant. Ne me dis pas que tu les as jetés !

— Si, avoua-t-elle. On n'allait tout de même pas manger des spaghettis au petit déjeuner !

— Il est presque midi, fit-il remarquer d'un ton froid. Donc, si je comprends bien, il n'y a rien à manger. N'est-ce pas, Keri ?

— Tu es en colère ?

— Cela t'étonne ? Je viens de fournir un travail physique exténuant et tu m'annonces que je vais être obligé de rester le ventre vide alors que j'ai besoin de reconstituer mes forces. Tu voudrais que je saute de joie ?

— Je suis désolée.

Jay considéra la jeune femme, désorienté. Depuis quand le fait de manquer un repas le rendait-il furieux au-delà du raisonnable ? Etait-ce parce qu'il avait appris l'existence de ce David ? Non. Certainement pas, tenta-t-il de se convaincre.

Il hocha la tête.

— Viens ici, dit-il avec douceur.

Elle n'aurait pas dû prendre la main qu'il lui tendait, mais elle fut incapable de résister à l'attraction qu'il exerçait sur elle.

Déjà, il lui embrassait les cheveux, le cou, la nuque. En l'espace d'une seconde, ses sens s'étaient embrasés. Toutefois, au prix d'un effort démesuré, la raison parvint à prendre le pas sur la passion. Il releva la tête et considéra la jeune femme, imperturbable.

— Plus tôt nous partirons, mieux cela vaudra. Si la police n'a pas encore été alertée, cela leur évitera de se mettre à notre recherche. Les secours coûtent cher, tu sais.

Keri cilla. Comment parvenait-il à se montrer si calme, si rationnel, alors qu'elle-même se trouvait en proie à une avalanche d'émotions contre lesquelles elle ne pouvait lutter ?

Elle n'avait pas envie de bouger, de quitter cet endroit, tandis que lui était impatient de reprendre la route. Mais pouvait-elle lui donner tort lorsque des gens les attendaient et s'inquiétaient de leur absence ? Pourtant, elle ne se résignait pas à le quitter ainsi, sans avoir exprimé le fond de sa pensée.

— Jay ?

— Oui ?

— C'était... euh... enfin...

— Merveilleux, oui. Je suis d'accord avec toi.

Jay lui déposa un chaste baiser sur le bout du nez.

— Il y a autre chose, Jay, dont je voulais te parler...

Un instant d'hésitation — comment aborder un sujet aussi délicat sans blesser l'amour-propre de son amant ? — puis elle poursuivit :

— Surtout, ne le prends pas mal, mais... eh bien, est-ce que tu n'as jamais songé à... à exercer un autre métier que chauffeur ?

Il arqua les sourcils.

— Tu trouves que ce n'est pas une profession honorable ?

— Oh, non, ce n'est pas ça, seulement...

— Ah, tu me rassures ! s'exclama Jay d'un ton railleur.

— C'est seulement... Voilà, je pensais que... Tu as tellement de qualités... Je veux dire, tu as servi dans la marine, tu es plein de ressources... la manière dont tu nous a sortis de ce sale pétrin… Je ne connais pas beaucoup d'hommes qui s'en seraient tirés aussi bien que toi…

En termes clairs, les explications embarrassées de Keri signifiaient : « Je veux encore faire l'amour avec toi », pensa Jay. En fixant la jeune femme, il murmura :

— Merci, c'est gentil à toi de me le dire.

— Tu as tous les atouts en main pour faire fortune.

En tant que gigolo, pour donner du plaisir à de belles femmes insatisfaites comme elle ? se demanda Jay. Il plongea le regard dans les grands yeux noirs, envisagea un instant de lui révéler la vérité afin de voir sa réaction et y renonça aussitôt. A quoi bon ? Cela ne les mènerait nulle part.

Pourquoi ne lui téléphonerait-il pas pour l'inviter à dîner, un soir ? Mais pour parler de *quoi* exactement ? De son mascara qui avait bavé ? Du kilo qu'elle avait pris ? Autrement dit, gâcher le souvenir de ce qu'ils avaient vécu ensemble cette nuit ?

Il fallait se montrer réaliste. Ils vivaient dans deux mondes différents. Et il était assez pragmatique pour prendre conscience que leur rencontre ne pouvait pas déboucher sur quelque chose de solide.

— Je m'en souviendrai si, par hasard, j'envisage de me recycler, promit-il.

Le visage de Keri était devenu très pâle. Jay se rappela l'expression à la fois confiante et craintive qu'il avait lue sur ses traits lorsqu'il l'avait mise au défi de lui faire l'amour. Il lui caressa doucement la joue avant de poursuivre :

— Ecoute, Keri, ce qui s'est passé cette nuit a été formidable. Tu t'es prouvé à toi-même que tu n'étais pas frigide, que tu étais capable de jouissance. Il te suffit seulement de trouver le bon partenaire.

« Mais je ne suis pas ce partenaire. » Il n'eut pas à prononcer ces mots. Ils étaient inscrits sur son visage aussi clairement que s'il les avait peints sur un étendard en lettres de six pieds de haut.

Un frisson de dégoût parcourut Keri. Elle s'était appliquée à ménager l'amour-propre de Jay et, à présent, elle devait faire un effort extraordinaire pour sauvegarder le sien. Affichant le sourire froid qu'elle réservait habituellement aux objectifs des photographes, elle demanda :

— N'avais-tu pas parlé de me déposer à la gare la plus proche ?

Jay hocha la tête. Ainsi, elle ne s'accrocherait pas. Il en éprouva une légère déception, ce qui, somme toute, ne l'étonna pas.

Il la regarda intensément pour s'imprégner une dernière fois de sa beauté parfaite. En cet instant, elle était l'antithèse même de la déesse des glaces qu'il avait rencontrée hier. Chaude. Sensuelle. Vivante. Portait-il la responsabilité de cette métamorphose ? Il se rappela la passion avec laquelle elle lui avait ouvert son corps pendant cette longue nuit de plaisir et ce souvenir suscita en lui une violente émotion. Puis, aussitôt, une question lui vint à l'esprit : pourquoi se sentait-il coupable envers ce David avec lequel Keri avait rendez-vous ? Après tout, si un homme ne se souciait pas de combler les sens d'une femme, il n'avait que ce qu'il méritait.

Cette pensée le délivra de ses scrupules.

— Je pense que nous nous reverrons à l'exposition de diamants, déclara-t-il d'un ton détaché.

La jeune femme s'était mentalement résignée à l'idée qu'ils ne se verraient plus. Abasourdie par le choc de ces paroles, elle bredouilla :

— L'ex... L'exposition de diamants ?

— Tu y seras, je suppose ? Qui mieux que toi peut mettre en valeur les pierres les plus précieuses au monde ?

Naturellement, porter les bijoux des grands joailliers faisait partie de son travail. Elle avait signé un contrat pour cette soirée, organisée dans un prestigieux hôtel londonien. Ce qu'elle avait considéré au départ comme une obligation professionnelle prenait à présent un aspect nouveau. Le cœur de Keri battit à se rompre. Le désir fou qu'elle avait de revoir cet homme allait se réaliser ! D'une voix qu'elle parvint à rendre détachée, elle demanda :

— Tu es invité toi aussi ?

— Tu veux rire ? J'y serai seulement pour assurer la sécurité.

8.

En arrivant à Londres, Keri crut débarquer sur une autre planète. La tempête de neige avait épargné la capitale, où quelques flocons égarés fondaient avant d'atteindre le sol. Et surtout, la jeune femme se sentait totalement différente de ce qu'elle était lorsqu'elle avait quitté la ville.

Dès qu'elle eut poussé la porte de son appartement, le clignotant du répondeur l'avertit que des messages l'attendaient. Elle les ignora. Elle avait bien d'autres choses en tête. Elle erra de pièce en pièce avec l'impression de visiter un lieu étranger, comme si sa véritable place s'était trouvée dans la grande maison rustique où elle avait vécu son intense expérience amoureuse.

Elle frissonna.

Jay s'était infiltré dans ses sens, en avait pris possession. En cet instant encore, elle se rappelait la magie de ses caresses, la lueur de ses yeux, la douceur de ses traits détendus pendant l'amour. Elle comprit qu'il lui fallait laver son corps de toute trace de cet amant si elle voulait recouvrer totalement ses esprits.

Après avoir jeté dans la baignoire une énorme poignée de ses sels de bains les plus coûteux, elle s'immergea dans l'eau jusqu'au nez, ferma les yeux et pria le ciel d'être délivrée de cette obsession.

Une heure plus tard, enveloppée de son peignoir, la jeune femme consentit enfin à prendre connaissance de ses messages. Il y en avait cinq. Ils provenaient de David, de l'agence de mannequins, de sa sœur, de l'agence encore — oui, le chauffeur les avait contactés au sujet des diamants et elle serait gentille de les appeler pour leur confirmer qu'elle était bien rentrée — et de David une seconde fois — où diable était-elle passée ?

A son tour, elle laissa un message sur le répondeur de David pour lui annoncer son retour et dire qu'elle le rappellerait plus tard. Puis elle composa le numéro de sa sœur. Celle-ci décrocha immédiatement.

— Erin ? demanda Keri.

— Keri ! Dieu soit loué ! Tu vas bien ?

— Oui. Je suis rentrée. Saine et sauve.

— Où étais-tu ? David m'a contactée. Il a dit que tu n'avais donné aucune nouvelle et qu'il n'arrivait pas à te joindre.

— Je ne savais pas qu'il avait ton numéro.

— Moi non plus. Bon sang, Keri, que s'est-il passé ?

Ce qui s'était passé ? se demanda la jeune femme mentalement. La terre s'était soudain mise à tourner dans l'autre sens. D'une voix posée, elle s'enquit :

— Je peux venir te voir ?

— Naturellement, répondit Erin. Quand ?

— J'arrive tout de suite, dit Keri.

Sa sœur habitait à quelques kilomètres seulement du quartier huppé où elle-même vivait. L'endroit manquait d'espaces verts et n'était pas le lieu idéal pour élever un enfant, mais Erin s'y sentait chez elle. Plus tard, affirmait-elle, elle s'installerait à la campagne, dans une maison moins chère. Pour l'instant, trop de souvenirs la retenaient ici.

Son mari, victime d'un chauffard, était mort avant la naissance de leur fils. Pendant quelque temps, Keri avait cru que sa sœur ne se remettrait pas de cette terrible épreuve. Grâce à Dieu, l'enfant était né.

La porte s'ouvrit. Erin se tenait sur le seuil, son regard sombre fixé sur sa sœur jumelle, interrogateur.

La nature avait doté les deux femmes d'un code génétique identique — yeux et cheveux noirs, silhouette haute, svelte, élégante. Cependant, au fil des années, les sœurs avaient perdu leur ressemblance parfaite. Peut-être parce que la vie leur avait réservé des sorts différents.

Erin portait ses cheveux noués sur la nuque en une épaisse tresse et l'on ne voyait aucune trace de maquillage sur son visage. Mince, bien que légèrement plus ronde que Keri, elle consentait rarement à quitter son éternel uniforme jean et T-shirt.

Les sourcils froncés, elle réitéra la question qu'elle avait posée au téléphone :

— Que s'est-il passé ?

Par cette sorte de télépathie mystérieuse qui relie les jumeaux, elle savait qu'il s'était produit quelque chose d'important dans la vie de sa sœur.

— Où est Will ? s'enquit Keri.

— Il dort. Il vient de piquer une colère qui l'a épuisé. Profitons de ce moment d'accalmie pour bavarder.

La visiteuse se laissa tomber dans un fauteuil avec un soupir, puis elle commença à raconter. La tempête de neige. La panne. L'homme aux yeux gris-vert qui lui avait tourneboulé les sens.

— Ainsi, tu as couché avec lui, dit Erin.

Il s'agissait d'un constat, pas d'une interrogation.

— Cela te choque ? demanda Keri.

— Profondément, répondit sa sœur.

Puis elle éclata de rire et rectifia :

— Non, bien sûr. Je suis seulement surprise, parce que cela ne te ressemble pas.

— Je sais.

— Et maintenant, quels sont tes projets ?

— Je le connais à peine.

Pourtant, au cours de cette unique nuit, des liens s'étaient forgés entre cet homme et elle, songea Keri. Quelle sorte de liens, elle l'ignorait, mais elle savait qu'ils existaient.

— Il te reste donc à faire plus ample connaissance avec lui, déclara Erin. Tu dois le revoir ?

— En quelque sorte, oui.

— Ce qui veut dire ?

— Il sera à l'hôtel Granchester samedi pour la présentation des diamants.

Erin plissa le front.

— Tu l'as invité ?

— Non. Il est chargé d'assurer la sécurité.

— Il ne s'agit donc pas d'un rendez-vous ?

— Non. En fait, il n'a pas manifesté le moindre désir de me revoir.

— Et toi ? Tu aurais pu le faire. On est au XXIe siècle, que diable !

— Ce n'est pas à la femme de faire les premiers pas.

— Oh, Keri !

— De toute façon, notre histoire est vouée à l'échec. Il est chauffeur.

Erin considéra sa sœur, l'air scandalisé.

— Ne me dis pas que tu accordes de l'importance à ce genre de considérations ! s'exclama-t-elle.

— Non, bien sûr, répondit Keri avec lenteur. Mais je pense que pour lui, ça compte.

— C'est peut-être pour cela qu'il n'a pas cherché à te revoir. Et tu ne peux pas lui en vouloir. Réfléchis un peu : tu es l'un des mannequins les plus célèbres du pays, alors que lui, il reste assis derrière un volant pour gagner sa vie ! Il ne t'a rien demandé, pour la bonne raison qu'il craignait de se voir rejeté.

— Mais nous avons fait l'amour, bon sang !

— Et alors ? L'harmonie physique est une chose. La compatibilité sociale en est une autre. Votre différence de classe le met certainement mal à l'aise. Quoi qu'il en soit, attends de voir ce qui arrivera samedi.

Erin se pencha en avant et poursuivit :

— Pardonne-moi mon indiscrétion et, surtout, ne te crois pas obligée de me répondre, mais… comment est-ce que cela s'est passé… je veux dire… au lit ?

Keri n'aurait jamais accepté d'aborder un sujet aussi intime avec quiconque — excepté avec Jay, naturellement —, mais sa sœur était de la même chair, du même sang qu'elle.

— Oh, Erin, c'était merveilleux, répondit-elle avec simplicité. Jamais je n'aurais pensé connaître un jour une telle félicité.

Il y eut un silence, puis Erin hocha la tête.

— Grâce à lui, te voilà enfin libérée de tes inhibitions. Tu vas donc pouvoir construire une véritable relation avec quelqu'un d'autre, à présent.

A entendre sa sœur, on aurait pensé que tout n'était qu'une question mécanique. Mais s'agissait-il seulement de cela ? Keri en doutait. Parce qu'elle savait instinctivement qu'aucun autre homme ne la comblerait comme Jay avait réussi à le faire. Cependant, elle garda ses pensées pour elle, but son thé, puis aida Erin à préparer des petits gâteaux.

Lorsque William s'éveilla, elle monta dans sa chambre, une pièce lumineuse, qu'elle avait peinte elle-même dans les tons bleus et verts et dont elle avait décoré l'un des murs d'une fresque représentant la mer.

Clignant des yeux, l'enfant lui tendit les bras dès qu'il la vit. La jeune femme serra le petit corps contre elle, respirant son odeur chaude et rassurante. Elle l'aimait tendrement, même si elle lui reprochait en secret d'être la cause de la fatigue d'Erin. Aujourd'hui toutefois, elle le voyait avec un regard neuf, comme si, soudain, ses sens s'étaient aiguisés et qu'elle percevait pour la première fois son innocence, sa beauté.

Keri goûta comme un cadeau précieux les moments partagés ce soir-là avec sa sœur et son neveu. Des moments qu'elle prolongea jusqu'à la tombée de la nuit.

De retour chez elle, elle s'enferma dans sa chambre. Et là, dans la quiétude de la pièce faiblement éclairée, elle se lova dans un fauteuil et, les bras étroitement noués autour d'elle, elle ferma les yeux en souhaitant de toute son âme que Jay fût là, avec elle.

Si seulement elle pouvait s'endormir pour ne s'éveiller que samedi. Juste à temps pour le revoir…

9.

Jay n'avait pas pris conscience qu'il attendait. Attendre n'était pas dans sa nature. Il avait l'habitude d'agir, non de rester dans l'expectative. Cependant, au moment où il l'aperçut, il comprit qu'il avait guetté son arrivée.

La déesse des glaces était de retour. Merveilleuse de beauté.

L'agence de mannequins lui avait-elle donné des consignes concernant sa tenue ? Ou décidait-elle elle-même des vêtements qu'elle portait dans ce genre de circonstances ? Jay opta pour la seconde hypothèse. Seul l'instinct avait pu guider Keri dans le choix de la robe qui adhérait à ses formes parfaites comme une peau noire, satinée, et rendait encore plus éclatants les diamants dont elle était parée.

La salle regorgeait de femmes superbes, toutes habillées somptueusement. Cependant, Jay ne parvenait pas à détacher son attention de Keri, impatient de voir sa réaction quand, à son tour, elle découvrirait sa présence.

Regrettait-elle leur longue et inoubliable nuit ?

Tandis qu'elle se frayait un chemin parmi la foule des invités, accueillie par des regards admiratifs, quelqu'un la débarrassa de son étole, puis on lui tendit une coupe de champagne. Immobile et silencieux près d'une vitrine d'exposition renfermant des joyaux dignes des Mille et Une Nuits, Jay sentit son cœur battre plus fort. Lorsque enfin elle tourna la tête vers lui, leurs yeux se rencontrèrent.

La jeune femme eut l'impression de manquer d'oxygène.

Jean noir étroit soulignant de façon presque indécente les muscles de ses cuisses, chandail noir à col roulé, joues mal rasées, regard souligné de larges cernes, Jay ne pouvait prétendre rivaliser d'élégance avec les autres hommes présents, dont les tenues avaient coûté des fortunes. Toutefois, Keri s'en moquait. Parce que cet homme-là rayonnait de virilité et qu'il était probablement le seul représentant du sexe masculin en ces lieux capable d'entrer par effraction dans une maison pour sauver une femme. Puis de lui faire l'amour d'une manière inoubliable…

Elle s'appliqua à ne manifester aucune émotion, bien que son cœur battît à se rompre, mais ses joues s'empourprèrent sous le regard masculin qui lui donnait l'impression de se retrouver soudain nue. Elle détourna la tête pour parler à quelqu'un avant que Jay ne s'aperçût de son trouble, puis résolut de se fondre dans la masse des invités. Le directeur de la firme de diamants qui l'escortait la présenta à ses clients potentiels. Partout, des portraits la glorifiaient — parmi lesquels ceux pris dans la neige, donnant d'elle l'étonnante image d'une beauté à la fois radieuse et inaccessible. Au moment où elle posait pour les photographes, elle ne se doutait pas que, quelques heures plus tard, elle découvrirait le plaisir dans les bras de son chauffeur.

Jay n'avait pas bougé de son poste. Après avoir tenté de l'ignorer pendant une demi-heure, la jeune femme n'y tint plus. Elle saisit une seconde coupe de champagne et traversa la salle pour le rejoindre.

— Bonjour ! dit-elle, cachant son émotion sous un sourire. Du champagne ?

— Non, merci. Je conduis.

— Ah…

Keri se sentit soudain stupide avec un verre dans chaque main. Sans doute Jay s'aperçut-il de son embarras, car il saisit les coupes et les déposa sur le plateau d'un serveur qui passait près d'eux. Puis il murmura :

— Tu passes une bonne soirée ?

— En quelque sorte, oui, répondit-elle. Et toi ?

— Je ne suis pas là pour m'amuser. Je travaille.

— Je ne voudrais pas te déranger. Si tu veux que je parte…

— Non. Reste. Tu es venue seule ?

— Je… Oui.

Jay haussa les sourcils.

— David n'est pas ici ?

Elle le regarda droit dans les yeux.

— David n'est qu'un ami.

— Vraiment ? rétorqua-t-il, railleur. Depuis quand ?

Mais ce qu'il venait d'apprendre changeait les choses. Il arbora un sourire de prédateur pour ajouter :

— Dans ce cas, peut-être pourrions-nous aller prendre un café quelque part, à la fin de la soirée ?

L'offre était tentante. Keri se moquait du café, naturellement. Et elle savait qu'en l'invitant, Jay avait d'autres intentions en tête. Déjà, son esprit élaborait toutes sortes de scénarios érotiques. Son amant l'emmènerait-il dans un minuscule studio, quelque part dans les faubourgs de la ville ? Ou lui suggérerait-il de passer la nuit chez elle ? Dans ce cas, comment réagirait-il au moment où elle lui ouvrirait la porte de son luxueux appartement ? Elle essaya de l'imaginer en train de s'allonger sur le couvre-lit de brocart fleuri de petites roses.

Elle arrêta là ses divagations pour s'interroger : avait-elle vraiment pensé que leur idylle d'une nuit pouvait avoir une suite, alors qu'ils vivaient dans des mondes si différents ?

Au même instant, une autre idée s'imposa à elle. On avait beau être au XXIe siècle, les femmes — quoi qu'on en dise — ne se trouvaient pas sur un pied d'égalité avec les hommes. Contrairement à ceux-ci, elle n'était pas intéressée par une relation basée uniquement sur le sexe. L'expérience merveilleuse qu'elle avait connue avec Jay avait été spontanée. Elle s'était produite dans des circonstances particulières. La renouveler sans autres bases ne conduirait nulle part.

Elle lui décocha un regard froid et répondit :

— Désolée. Après une si longue soirée, je sais que je vais être épuisée.

— Nous pourrions déjeuner ensemble un autre jour, alors ? suggéra-t-il.

Elle le dévisagea, surprise.

— Déjeuner ?

— Oui. Tu as prouvé que tu *pouvais* manger, n'est-ce pas ?

Le pouls de Keri s'accéléra. Avait-il délibérément évoqué leur dîner dans la maison abandonnée pour lui rappeler la manière sensuelle dont ils avaient absorbé leur repas improvisé ?

Un déjeuner ne tirerait pas à conséquence. Il s'agissait d'un acte de gens civilisés. En tout cas, il présentait moins de risques qu'un dîner.

— Entendu pour un déjeuner, acquiesça la jeune femme.

— Lundi ?

— Pourquoi pas ?

— Je connais un restaurant aux Docklands, sur les hauteurs qui dominent l'eau. C'est joli et ce n'est pas loin de mon lieu de travail.

Ainsi, il la verrait au moment de la pause qu'il s'accordait pour déjeuner. Autrement dit, il ne disposerait que d'une petite heure, comme tous les employés soumis à des contraintes horaires. Ils auraient tout juste le temps de manger. Keri émit un discret soupir de soulagement.

— Nous pourrions nous contenter d'un sandwich, dit-elle.

Il sourit.

— Dans ce cas, il y a un endroit au bord de la Tamise : le Carter's. Tu connais ?

— Non, mais je trouverai.

—Parfait. Je t'attendrai là-bas, à 1 heure.

Jay glissa la main dans la poche arrière de son jean et en retira une carte.

— Voici mon numéro. Appelle-moi si tu as un empêchement.

Leurs doigts se frôlèrent lorsqu'elle prit la carte qu'il tendait et Keri sentit alors un courant électrique la parcourir. Vite, elle retira sa main, se demandant si Jay produisait cet effet extraordinaire sur toutes les femmes qu'il côtoyait.

— Je serai à l'heure, promit-elle.

Puis elle s'éloigna et retraversa l'immense salle, espérant que son visage et sa démarche ne trahissaient pas trop son émotion.

Elle arriva aux Docklands avec une heure d'avance.

Une fine pluie hivernale enlevait toute possibilité de promenade sur les bords de la Tamise. En outre, le quartier ne possédait ni galeries d'art ni magasins où elle aurait pu tromper son impatience en flânant. Pourquoi ne pas appeler Jay, après tout ? s'interrogea-t-elle. Peut-être parviendrait-il à se libérer plus tôt que prévu ? Elle sortit son mobile de son sac et composa le numéro.

Il répondit dès la seconde sonnerie.

— Jay Linur.

— Jay ? C'est Keri. La circulation était plus fluide que je ne le pensais et je suis arrivée. Peux-tu… venir un peu plus tôt ?

Après un long silence, Jay suggéra :

— Pourquoi ne viendrais-tu pas plutôt au bureau ? J'ai des papiers à mettre à jour. C'est urgent.

— D'accord.

Des papiers ! De quel genre de papiers s'agissait-il ? Ses feuilles de présence ? Sans doute essayait-il de se donner de l'importance.

— Explique-moi comment venir, demanda-t-elle.

La jeune femme trouva l'immeuble sans peine. Plutôt que de prendre l'ascenseur, elle monta par l'escalier.

Un colosse aux yeux d'un bleu étonnant l'accueillit dans un immense local aux murs austères, mais dont les larges baies surplombaient les quais de la Tamise.

— Bonjour, lança-t-il avec un sourire avenant. Jay vous attend.

Il pressa un bouton d'Interphone sur son bureau et annonça :

— Elle est arrivée, patron.

— Fais-la entrer.

Keri fronça les sourcils. Patron ?

Elle entra dans la pièce adjacente.

Jay était assis à un impressionnant bureau de bois massif sur lequel bourdonnait un ordinateur. Derrière lui, était affichée une mappemonde piquée d'une profusion d'épingles de couleur.

La jeune femme le considéra, ébahie.

— Bonjour, Keri !

Les cheveux sagement noués sur la nuque comme une écolière, elle portait un manteau de cuir qui lui arrivait aux genoux et des bottes assorties. Elle aimait cette matière, constata Jay, tandis que des images licencieuses commençaient à lui envahir l'esprit.

De nouveau, Keri parcourut du regard l'endroit où on venait de l'introduire.

— Peux-tu me dire ce qui se passe ? Pourquoi cet homme t'a-t-il appelé patron ?

A quoi aurait servi de prolonger le jeu plus longtemps ? songea Jay.

— Parce que je suis bel et bien le patron, répondit-il. Ici, c'est le siège de ma société. J'en suis le propriétaire. Je fournis des chauffeurs, des vigiles, des gardes du corps, des détectives privés aussi.

Il se garda de mentionner la fortune que représentait son entreprise. Il en avait dit suffisamment pour l'instant.

La jeune femme eut l'impression qu'un épais rideau venait de se soulever devant ses yeux et qu'elle avait désormais une vision parfaitement claire des choses. Bien sûr. *Bien sûr.* Tout prenait un sens.

L'assurance de Jay, la manière presque arrogante dont il s'était comporté à son égard alors que tant d'hommes se sentaient intimidés par elle, sa connaissance des vins français…

— Tu n'es pas chauffeur, n'est-ce pas, Jay ? demanda-t-elle.

— En fait, ce n'est pas tout à fait exact…, commença-t-il.

Elle ne le laissa pas terminer sa phrase. Le moment de surprise passé, elle fulminait.

— Oh, je t'en prie, ne joue pas sur les mots. Tu sais conduire une voiture, je n'en doute pas un instant. Est-ce que cela t'a amusé de me mener délibérément en bateau ?

— Je n'ai rien fait *délibérément*. Pourquoi t'aurais-je menée en bateau ? Un de mes chauffeurs est tombé malade au dernier moment et je l'ai remplacé. C'est tout.

— Pourquoi ne m'avoir rien dit sur le moment ?

— Pourquoi l'aurais-je fait ? Tu me vois en train d'annoncer à un client : « Salut, je m'appelle Jay et je ne suis pas celui que vous croyez. Je ne suis pas le chauffeur. Je suis le patron de la société. »

— Tu refuses de voir l'essentiel ! se récria Keri.

Sans la quitter des yeux, Jay marcha jusqu'à elle.

— Le crois-tu vraiment ? rétorqua-t-il. M'aurais-tu traité d'une manière différente si tu avais su la vérité ?

A en juger par le sourire lent qui éclaira son visage, il se souvenait de la manière dont elle l'avait traité. Keri ne répondit pas.

— De toute façon, cela valait la peine de la taire, ajouta-t-il.

— Oh, je t'en prie ! C'est facile !

— Non, c'est la vérité.

La jeune femme fouilla dans sa mémoire. En fait, peut-être ne lui avait-il pas menti à proprement parler, mais il avait dû se retenir de rire quand elle lui avait conseillé de changer de métier.

— Est-ce que tu as pris du plaisir à te déguiser en quelqu'un d'autre ? demanda-t-elle d'un ton amer.

— Bien sûr que non !

Jay soupira, avant de poursuivre :

— Au début, cela m'a semblé seulement irrévérencieux, mais si je t'avais dit qui j'étais, j'aurais donné l'impression de me vanter. Ce que je déteste.

Keri le dévisagea.

— Eh bien, puisque tu es immensément riche, je suggère que tu améliores l'état de tes locaux. Je n'ai jamais rien vu d'aussi miteux.

Il se mit à rire.

— Nous allons toujours déjeuner ?

— J'ai perdu mon appétit.

— Rien de bien nouveau, en somme.

— Très drôle ! marmonna la jeune femme.

Il mourait d'envie de la prendre dans ses bras, mais quelque chose dans le regard sombre l'avertit qu'il devait garder ses distances. Ce qui, au lieu de le frustrer, l'excita davantage.

— Es-tu tenue par des obligations professionnelles en ce moment ? demanda-t-il.

Elle plissa les yeux.

— Pourquoi ?

— C'est oui ou c'est non ?

— J'ai un...

Non, elle n'allait pas lui parler du contrat qu'elle avait signé avec une marque de lingerie. Evoquer des dessous féminins risquait de les conduire là où elle ne voulait pas aller. Aussi préféra-t-elle rester dans le vague.

— Un travail dans quelques semaines.

— Et en attendant ? Que fais-tu normalement entre deux contrats ?

Elle flânait dans des galeries d'art, rendait visite à des amis, faisait du shopping, allait au cinéma... Voilà à quoi elle occupait son temps libre. Mais elle se contenta de répondre :

— Cela dépend.

— Accepterais-tu de faire quelque chose pour moi ?

— Quel genre de chose ?

— Repeindre mes bureaux, par exemple ?

La mine perplexe de Keri amusa Jay.

— Est-ce une idée si aberrante que cela ? reprit-il. Tu m'as dit que tu voulais devenir décoratrice et tu viens de me faire remarquer que mes bureaux étaient dans un état lamentable. Tu as raison, d'ailleurs, ils sont affreux.

Proposition séduisante... D'autant que la jeune femme ne pouvait le soupçonner d'user d'un faux prétexte pour la revoir. Les bureaux avaient vraiment besoin d'un bon coup de peinture. En outre, il lui offrait l'occasion de mieux faire connaissance et de prouver qu'elle était capable d'autre chose que de parader devant des photographes.

Elle le fixa.

— Pourquoi, Jay ?

« Parce que je veux refaire l'amour avec toi. Parce que, depuis que nous nous sommes quittés, je ne pense qu'à ton corps, parce que j'ai besoin de le caresser, encore, encore et encore, pour me délivrer de cette obsession. » Mais peut-être ne s'agissait-il pas seulement d'une attirance physique ? Jay n'était plus sûr de rien.

Il haussa les épaules.

— Simplement pour les raisons que je viens d'énoncer. Tu aimes t'occuper de décoration, et moi, j'ai besoin de rénover mes locaux. Je serai ton premier client officiel.

Keri scruta les yeux gris-vert posés sur elle, interrogateurs. En acceptant ce marché, elle permettrait au côté créatif de sa nature, longtemps réprimé, de s'exprimer librement. Pourtant ce n'était pas cette perspective qui accélérait les battements de son cœur et lui asséchait la bouche.

Elle savait qu'ils redeviendraient amants. Elle ne manquait pas de lucidité au point de l'ignorer. Cependant, cette fois, elle ne lui rendrait pas les choses aussi faciles. Bien que le sexe ne fût pas une bataille à proprement parler, elle avait déposé les armes beaucoup trop vite. Si Jay la désirait, il devrait faire preuve d'obstination, de ténacité.

— Alors, quelle est ta réponse ? demanda-t-il.

— Tu me laisseras les mains libres ?

— Totalement libres, mon ange, répondit-il.

De nouveau, le désir, implacable, douloureux, commença à tourmenter son corps.

10.

La moto de Jay filait comme une flèche parmi le flot de véhicules. La pluie lui fouettait le visage, mais il ne s'en souciait pas. Une seule chose comptait à ses yeux tandis qu'il roulait en direction de son bureau : Keri se trouvait déjà là-bas. Andy l'avait averti tout à l'heure par téléphone. « Patron, avait-il demandé, savez-vous que Super-Nana a investi les lieux avec une réserve de peinture suffisante pour couvrir la façade de Buckingham Palace ? »

En fait, la question en cachait une autre. Andy voulait savoir pourquoi Jay ne l'avait pas mis au courant — lui, son bras droit — de la visite de Keri.

Pourquoi ? Tout simplement parce qu'il n'avait pas eu envie de crier sur les toits l'erreur qu'il avait commise.

Il avait autorisé une femme à envahir *son territoire*. Et pas n'importe quelle femme, de surcroît. Une femme avec laquelle *il avait fait l'amour* ! Pour la première fois de sa vie il avait permis au désir d'aveugler sa raison. Faute grossière dont il était le seul à porter la responsabilité.

Il s'était attardé chez lui, à étudier quelques dossiers pour ne pas être présent lorsque Keri arriverait. Il ne se sentait pas prêt à dérouler lui-même le tapis rouge pour la recevoir. Il préférait laisser cette tâche à Andy.

Celui-ci bavardait avec la jeune femme quand il entra dans le bureau, après avoir laissé la moto au parking.

Andy — en train de *bavarder* ?

Les deux hommes avaient servi ensemble dans les SEALs. Ils s'étaient entraînés, s'étaient battus côte à côte, avaient été témoins des pires scènes de guerre, de famine, de désolation. Jay avait passé la plus grande partie de sa vie d'adulte avec son ex-compagnon de combat, mais jamais il ne l'avait vu *bavarder* ainsi. Jamais.

Il avança dans la pièce où Keri et Andy étaient penchés sur le bureau, examinant des échantillons de peinture.

— Bonjour, tout le monde ! lança-t-il.

Le colosse et la jeune femme se retournèrent d'un même mouvement, tels deux complices surpris dans l'élaboration de quelque stratagème secret. Ce qu'il n'apprécia pas.

Il demeura sur place, immobile, son casque sous le bras, essayant de faire bonne figure.

Il était entièrement vêtu de cuir noir souple — pantalon moulant ses longues jambes, veste près du corps. Avait-il délibérément choisi de s'habiller ainsi ? s'interrogea Keri, sidérée par l'aura de sensualité qui émanait de lui. Comme pour répondre aux fantasmes féminins les plus courants à l'époque.

— Bonjour, Jay, répondit-elle d'un ton joyeux. J'ai fait quelques essais de peinture sur les murs de tes bureaux. Tu veux voir ? Andy m'a déjà donné son avis.

Curieusement, tandis que son assistant se rengorgeait, Jay sentit sa mauvaise humeur se dissiper. En matière de décoration, il en savait beaucoup plus qu'Andy.

— Mmm, acquiesça-t-il en se dirigeant vers son propre bureau. Andy, prépare-nous du café, s'il te plaît.

— Oui, patron.

Avant que l'employé ne s'éloignât, Keri lui adressa son plus beau sourire.

— Merci pour votre aide, Andy.

— Tout le plaisir a été pour moi, affirma-t-il, le regard brillant.

Sans conteste, il était américain. Son accent, beaucoup plus prononcé que celui de Jay, le trahissait. Ils avaient servi ensemble dans les SEALs. Il l'avait appris à la jeune femme. Ses yeux d'un bleu rare, ses cheveux blonds, ses manières étonnamment douces contrastaient avec sa corpulence de lutteur.

— Keri ! appela Jay. Tu viens, oui ou non ?

— Il est directif, non ? marmonna-t-elle pour elle-même en pénétrant dans le saint des saints.

Elle avait préparé le lieu avant de commencer à peindre. Ce travail lui avait demandé beaucoup moins de temps qu'elle ne l'avait pensé. Pas d'effets personnels dans le bureau de Jay. Pas de photographies. Pas de bibelots ni de tableaux aux murs. Pas même une plante verte. Rien. Un bureau fonctionnel pour un homme fonctionnel.

Il se tenait au milieu de la pièce, fixant d'un air incrédule la partie du mur proche de la fenêtre, éclaboussée de peinture d'un rouge vibrant.

Après un long moment, il se tourna vers la jeune femme qui attendait son verdict, les yeux grands ouverts, telle une écolière montrant à sa maîtresse un devoir dont elle était particulièrement fière.

— C'est une plaisanterie ? lança-t-il d'une drôle de voix.

— Tu n'aimes pas le rouge ?

— Je ne me vois pas passer mes journées en face d'un mur couvert de sauce tomate.

— Oh, mais ce n'est pas terminé.

Mentalement, il compta jusqu'à dix avant de rétorquer :

— Je ne suis peut-être pas Van Gogh, Keri, mais j'aurais pu faire ça moi-même. Je ne critique pas le travail proprement dit, je sais que tu t'es appliquée, mais la couleur…

— Qu'as-tu contre le rouge ? Dehors, le ciel est bleu, là les murs sont blancs et, étant donné ta double nationalité, j'ai pensé que ce serait bien de mélanger les deux drapeaux : américain et britannique.

— Tu te moques de moi ?

— Pas du tout. Sérieusement, Jay, je pense que ce sera sensationnel. Et puis, tu m'avais dit que tu me laissais carte blanche !

— Parce que je croyais que tu te contenterais de rafraîchir l'ancienne couleur.

— Tu ne voulais tout de même pas que je barbouille tes murs en magnolia ! Dans un lieu de travail, il faut des tons toniques pour stimuler les neurones. Fais-moi confiance : quand j'aurai terminé, ce sera formidable.

Après un long silence, Jay demanda :

— Et si le résultat ne me plaît pas ?

Keri perçut la note dangereuse de sa voix. Et elle vit la lueur menaçante de ses yeux. Cet homme pouvait se transformer en loup. *Réellement*. En discutant avec Andy, elle avait appris que l'entreprise était prospère. Manifestement, Jay se trouvait à la tête d'une petite fortune. Cependant, d'une manière assez curieuse, cette découverte ne changeait rien aux sentiments que la jeune femme éprouvait à son égard. Qu'il fût riche ou pauvre, elle était de toute façon sous l'emprise de son charme.

Comme il continuait de la regarder, attendant sa réponse, elle finit par affirmer :

— Dans ce cas, je rendrais à ton bureau sa couleur d'origine.

Puis, aussitôt, elle jugea prudent d'ajouter :

— Mais pour que tu te fasses une idée, je vais commencer par celui d'Andy.

Jay eût été bien en peine de discerner ce qui l'énervait le plus : savoir Keri en train de peindre innocemment le bureau d'à côté, ou entendre Andy siffloter ? Cela faisait des lustres que ce dernier n'avait pas siffloté ainsi.

Jay se tint à l'écart toute la matinée. Cependant, à l'heure du déjeuner, il se glissa en silence dans la pièce voisine. A sa grande surprise, un mur avait été presque intégralement recouvert de bleu. Un beau bleu qui évoquait les fonds marins.

Keri était assise sur un coin de la table de travail, le bout du nez barbouillé de peinture. Andy la regardait, tel un chiot égaré venant de retrouver sa maîtresse. Un incompréhensible sentiment d'irritation commença à gagner Jay.

— Tu ne vas pas nous chercher des sandwichs ? demanda-t-il à son employé.

Celui-ci consulta sa montre, avant de lever sa massive silhouette de son siège.

— C'est déjà l'heure !

Se tournant vers la jeune femme, il s'enquit :

— Qu'est-ce que ce sera pour vous, princesse ?

Les lèvres de Jay se pincèrent. *Princesse* ?

— Oh, ne vous inquiétez pas pour moi, se hâta-t-elle de répondre. Manger est le dernier de mes soucis.

— Apporte-lui la même chose que pour moi, ordonna Jay.

Ses yeux rencontrèrent ceux de Keri.

— Je ne vais pas te laisser mourir de faim. Ce n'est pas une séance de poses, ici. C'est un vrai travail et je ne veux pas te voir t'effondrer de faiblesse.

En fait, elle n'était pas loin de s'effondrer de faiblesse. Mais pas à cause du travail. Jay avait retiré sa veste de cuir et la vue de son torse étroitement moulé dans un T-shirt noir mettait les sens de la jeune femme en ébullition. Elle déglutit. Un sandwich ferait un bon dérivatif à son trouble, après tout.

— Merci, murmura-t-elle. C'est une excellente idée.

Un silence pesant s'installa, tandis qu'Andy enfilait sa veste. Quand il fut sorti, l'atmosphère s'alourdit encore. Keri entendait distinctement tous les bruits extérieurs — cris de mouettes, sirènes des bateaux… Et surtout les battements de son propre cœur.

Jay marcha jusqu'à elle, un sourire flegmatique aux lèvres.

— Il me semble que nous ne nous sommes pas dit bonjour comme il faut ce matin, déclara-t-il d'un ton très doux, avant de la prendre dans ses bras.

Elle s'attendait à ce geste et elle s'était promis de résister. Hélas, dès qu'elle sentit la proximité du corps masculin, toutes ses bonnes résolutions s'évanouirent.

— Bonjour, Jay, murmura-t-elle.

Il sourit.

— Ah, Keri…

Tout en effleurant de ses lèvres la bouche de la jeune femme, il continua :

— N'as-tu pas eu envie de cela toute la matinée ?

— J'étais trop concentrée sur ma peinture pour penser à autre chose, répondit-elle dans un souffle.

— Menteuse !

—Je t'assure…

— Avoue que, comme moi, tu n'avais pas la tête à ce que tu faisais.

—Je… Je ne sais pas… Je ne sais plus…

Sous le baiser de Jay, profond, intense, Keri ferma les paupières. Elle émit un long gémissement lorsqu'il emprisonna entre ses paumes les globes de ses seins et qu'il chuchota :

— Je te désire. Je te désire comme un fou.

Si elle ne mettait pas immédiatement un terme à ces égarements, elle ne pourrait résister plus longtemps. Keri le savait.

— Je n'ai pas douté un seul instant de ton désir, affirma-t-elle. Mais, Jay, il ne faut pas…

— Il ne faut pas quoi ?

Déjà, Jay déposait une kyrielle de petits baisers dans le cou de la jeune femme.

— On ne fait rien d'autre que s'embrasser, acheva-t-il.

Pour l'instant…, songea-t-elle. Mais elle savait jusqu'où les baisers de Jay pouvaient conduire.

— Andy sera de retour d'ici une minute ou deux, avança-t-elle.

— Il a droit à une pause d'une heure pour le déjeuner. Je lui dirai d'aller faire un tour dans le parc.

— En plein hiver ?

— Oh, Andy est un garçon solide. Comme moi. On a été habitués aux intempéries. Il comprendra.

L'espace d'une seconde, Keri imagina comment Jay et elle passeraient ces soixante minutes. Si son corps aspirait à connaître une fois encore la félicité entre les bras de son amant, elle avait aussi besoin de considération, de marques de respect. Elle ne se contenterait pas de brèves étreintes dans un bureau encombré de pots de peinture.

— Non, Jay, déclara-t-elle d'un ton catégorique.

Il la regarda, incrédule.

— Essaies-tu de me rendre fou ?

— Tu l'es déjà. C'est bien ce que tu m'as dit, n'est-ce pas ?

Il eut un rire forcé et, manifestement à contrecœur, libéra la jeune femme, suscitant en elle un douloureux sentiment de frustration. Puis il la dévisagea avec curiosité.

— Alors, ce sont là tes intentions ? Tu as décidé de me tenir à distance ?

— Pendant les heures de travail, oui, répondit-elle posément.

— Dois-je en conclure que tu me laisses ma chance, *après* ?

L'offre était tentante. Mais si elle sortait avec Jay ce soir, serait-elle capable de lui résister ?

Il la vit hésiter.

— Ou bien es-tu prise ce soir ? enchaîna-t-il, railleur.

Elle détourna la tête.

— Justement oui. Je ne suis pas libre.

— Ah, d'accord.

Tout à coup, l'atmosphère s'était de nouveau alourdie.

— Ainsi, ce que tu as en tête, c'est de me tenter pour me dire non ensuite. Bref, tu te moques de moi.

Ah, il le prenait sur ce ton ? Comme elle avait eu raison de suivre son instinct et de refuser sa proposition !

— Ça par exemple ! se récria Keri. Tu réagis toujours ainsi quand une femme repousse tes avances ?

A dire vrai, c'était la première fois que cela lui arrivait. Cependant, malgré la frustration et la mauvaise humeur qu'il sentait monter en lui, Jay se garda de le mentionner.

— Donc, tu ne sors pas avec moi ce soir, se contenta-t-il de constater.

Avec une moue dédaigneuse, elle rétorqua :

— Pas ce soir, non. Une autre fois, peut-être ?

Elle faisait preuve d'une confiance en elle remarquable. Appliquait-elle les recettes données dans les rubriques des magazines féminins du genre « Comment aguicher un homme et le garder ? » Celles qui conseillaient aux femmes de laisser leurs prétendants sur leur faim pendant un laps de temps assez long, pour finir par leur céder ? Dans ce cas, elle allait au-devant d'une grave désillusion.

— Je ne suis pas du genre à attendre, annonça-t-il d'un ton sombre.

— Alors n'attends pas, répliqua-t-elle avec froideur. Va demander à quelqu'un d'autre. Maintenant, si tu n'as plus rien à me dire, je te laisse.

Jay la regarda décrocher son manteau de la patère, s'émerveillant malgré lui de la grâce de ses gestes. Une grâce qui, il en était certain, ne s'apprenait pas dans les magazines.

11.

Keri n'était pas non plus du genre à attendre. Elle en prit vite conscience. Car Jay la laissa dans l'expectative trois jours durant, avant de réitérer son invitation. Trois jours pendant lesquels elle crut mourir d'angoisse à l'idée que, peut-être, ils en resteraient là. Trois jours qui lui donnèrent l'occasion dc savoir qu'il aimait son café noir, son pain complet, qu'il ne marquait pas de pause pour le déjeuner et qu'il refusait de prendre les appels téléphoniques d'une certaine Candy.

— Qui est Candy ? interrogea la jeune femme, affectant un air désinvolte, tout en prélevant un morceau de papier-cache adhésif.

— Une femme, répondit Andy. Une parmi tant d'autres. Il les attire comme la lumière attire les papillons de nuit.

Avec un haussement d'épaules, il ajouta :

— Mais la plupart du temps, il ne les remarque même pas.

Il les remarquait sans doute, pensa Keri. Mais il se souciait d'elles comme de son premier ordinateur.

Quand le colosse sortit chercher des sandwichs ce jour-là, Jay entra. Il se frottait les yeux et bâillait.

— La nuit a été courte ? murmura la jeune femme, dont le cœur s'emplissait déjà de jalousie.

— Je me suis couché tard parce que j'avais un coup de fil à passer aux Etats-Unis, expliqua-t-il. Tu as de la peinture sur le nez.

— J'ai de la peinture partout, répondit-elle.

« J'aimerais le constater par moi-même », songea-t-il. Réprimant un autre bâillement, il s'enquit :

— Alors, on sort ensemble, ce soir ?

— Je croyais que tu étais fatigué.

Les yeux de Jay s'élargirent l'espace d'une fraction de seconde.

— Je me sens complètement réveillé tout à coup, affirma-t-il.

Elle avait agi comme elle devait agir pour sauver les apparences, garder la tête haute, songea Keri. Maintenant, elle pouvait se détendre un peu.

— D'accord pour ce soir, acquiesça-t-elle. Et que proposes-tu de faire ?

« Nous connaissons tous les deux la réponse à cette question, ma chérie. »

— Je te laisse choisir.

N'importe quoi, répondit-elle mentalement. Pourvu qu'elle n'eût pas à le regarder en face en se disant : « Mon Dieu qu'il est beau ! »

— Si on allait voir un film ? suggéra-t-elle. Ensuite, on pourrait grignoter quelque chose.

— Un film ?

— Oui, tu sais. On va dans une grande salle toute noire et on regarde une histoire sur un grand écran en mangeant des pop-corn si on en a envie.

Malgré lui, il se mit à rire. Il n'aurait pas inscrit ce genre de loisirs en tête de sa propre liste. Cependant, il fit contre mauvaise fortune bon cœur.

— Pourquoi pas ?

A cet instant, la porte s'ouvrit sur Andy, chargé d'un énorme sac plein de nourriture, mettant fin à la discussion.

Jay ravala sa déception. La situation s'annonçait plus compliquée qu'il ne l'avait escompté. Pis encore : il mourait d'envie d'emmener Keri dans son lit et il avait accepté d'aller au cinéma avec elle. Alors qu'il n'avait pas mis les pieds dans une salle obscure avec une femme depuis des années. Qu'est-ce que cela signifiait ?

— As-tu aimé le film ? interrogea Keri.

Les néons du complexe cinématographique accentuaient la pâleur de son visage, le rendant presque irréel.

— Mmm, répondit Jay. Bien que je n'apprécie pas tellement les sous-titres.

— Parce que tu n'en as pas besoin comme moi. Tu comprends tous les dialogues. Tu parles français couramment.

— C'est une langue que l'on pratique, tu sais, plaisanta Jay. Spécialement à Paris.

— Mais tu n'as pas été élevé à Paris ?

— J'ai passé les premières années de ma vie en Louisiane, à La Nouvelle-Orléans. Ensuite, mon père et ma mère ont tenu tous les deux à ce que je fréquente des écoles bilingues pour que je ne perde pas mon français. Bon, si on allait manger, maintenant ?

Jay avait coupé court à une conversation qui risquait de l'entraîner sur le terrain de son enfance. Sujet, que, manifestement, il préférait éviter. Une façon peut-être aussi de faire comprendre que, s'il avait laissé échapper quelques confidences dans la maison où ils avaient été bloqués par la neige, les choses étaient devenues différentes ici.

— Où veux-tu aller ? ajouta-t-il.

— J'ai choisi le film. A ton tour de décider.

Il y eut un silence. Du bout de l'index, Jay toucha la joue de la jeune femme, dessinant sur sa peau une petite spirale.

— J'ai bien une idée, déclara-t-il, mais je crains qu'elle ne te plaise pas.

Ce contact avait suscité en elle un délicieux frisson.

— Essaie toujours.

— Je n'ai pas faim. Sinon de toi. Je ne veux qu'une seule chose : te déshabiller, explorer chaque parcelle de ton corps et t'entendre crier sous mes caresses.

Dans l'obscurité, il ne vit pas la rougeur qui avait envahi les joues de la jeune femme. Il n'entendit pas non plus les battements frénétiques de son cœur. Elle aurait donc pu prendre l'air outragé, choqué, consterné, et appeler un taxi pour rentrer chez elle toute seule. Quel démon la poussa, alors, à dire d'une voix légèrement tremblante :

— J'ai tout ce qu'il faut dans mon réfrigérateur.

A la seconde suivante, ce fut Jay qui héla un taxi.

Ils ne prononcèrent pas un mot pendant le trajet, n'esquissèrent pas un geste pour se toucher.

Mais dès que Keri eut refermé la porte derrière eux, ils tombèrent dans les bras l'un de l'autre, poussés par la même avidité, puis se dévêtirent mutuellement avec la même fébrilité. Sous l'emprise du même désir — fou, irrépressible — ils firent l'amour à même le sol, comme si leurs vies avaient dépendu de ces étreintes démentes ponctuées de gémissements, de halètements, de paroles insensées. Jusqu'au moment où ils atteignirent l'extase.

Lorsque son pouls et son souffle eurent repris leur rythme normal, Keri laissa sa tête retomber lourdement sur l'épaule de son amant.

— J'aurais dû au moins t'offrir un verre avant, chuchota-t-elle d'une voix ensommeillée.

Jay ferma les yeux et serra plus étroitement la jeune femme contre lui.

— Tu m'étonneras toujours, murmura-t-il. Je n'ai jamais rencontré une femme comme toi. A propos, où se trouve la chambre ?

— De quelle chambre parles-tu ? Tu m'as tellement mis la tête à l'envers que je ne sais même plus chez qui on est.

Il la prit dans ses bras, la souleva, trouva la chambre. Là, ils refirent l'amour, sans précipitation, comme s'ils avaient l'éternité devant eux.

Cette fois encore, comblée par les caresses de son amant, Keri connut le nirvana avant de sombrer dans une torpeur délicieuse. Et lorsqu'elle recouvra ses esprits, elle trouva Jay habillé. Enfin, presque habillé… En jean, torse nu, sa musculature puissante baignée par le clair de lune, il regardait par la fenêtre. En cet instant, il évoquait un guerrier, songea la jeune femme. Tendu, sur le qui-vive, les sens en éveil, guettant, semblait-il, l'approche de quelque ennemi invisible.

Il dut sentir le regard de la jeune femme posé sur lui, car il se retourna.

— Bonjour, dit-il.

Elle crut percevoir une intonation prudente dans sa voix.

— Déjà habillé ? demanda-t-elle en étouffant un bâillement.

— Oui. Il est temps que je parte.

Après avoir consulté sa montre, Jay ajouta :

— Il est minuit passé.

Keri s'assit et ses longs cheveux se répandirent sur ses seins nus. Une lueur de désir brilla aussitôt dans les yeux de son amant. Mais ne dura qu'une fraction de seconde.

— Mais tu n'as rien mangé !

— Venant d'une femme qui jeûne à longueur d'année, la remarque est assez inattendue, non ? De toute façon, je n'ai pas faim.

Curieusement, elle-même avait faim. Une faim de loup. Elle aurait voulu que Jay se recouche. Elle serait alors allée dans la cuisine préparer un plateau plein de bonnes choses, qu'ils auraient dégustées ensemble. Il lui aurait donné la becquée de nouveau, comme dans la maison abandonnée. Mais peut-être ce jeu érotique figurait-il seulement dans le cadre d'un plan de séduction ? A présent, il savait qu'il n'avait plus besoin de ce genre de préliminaires pour l'attirer dans son lit.

— Peux-tu me passer mon peignoir ?

Jay décrocha le mince kimono chinois de la patère fixée sur la porte et le tendit à la jeune femme. Ses résolutions vacillèrent un instant lorsqu'il la vit dans sa pâle et parfaite nudité émerger des draps froissés, telle Vénus.

— J'attends un coup de fil des Etats-Unis, expliqua-t-il.

Certes, il ne s'agissait pas d'un faux prétexte. Mais cet argument en cachait un autre. Les moments qu'il venait de vivre avec Keri étaient... Il hocha la tête. Cette femme avait le don de l'entraîner là où il ne voulait pas aller. De lui faire éprouver des choses qu'il ne voulait pas éprouver. Si, au cours de son existence, il avait cédé à cette sorte de mirages, il n'aurait jamais pu réussir dans son travail. Il avait l'impression qu'une trappe béante venait de s'ouvrir devant lui et il n'avait qu'une idée en tête : quitter ce lieu le plus vite possible.

Elle noua la ceinture du vêtement de soie, acquiesçant :

— Bien sûr.

Comment parvenait-elle à afficher un air tranquille alors qu'elle mourait d'envie de courir vers Jay, de sentir la chaleur de son corps, de l'entendre affirmer que ce qui s'était passé entre eux avait de l'importance à ses yeux ?

Est-ce que cela ne valait pas la peine d'essayer ?

Keri marcha vers son amant, se pencha, l'embrassa avec douceur d'abord. Quand elle approfondit son baiser, il ne resta pas insensible. Cependant, il s'écarta, la bouche affaissée en un rictus de regret. Sincère ou non ? La jeune femme n'aurait su le dire.

— Il faut que j'y aille, Keri.

S'il l'avait vraiment voulu, il serait resté, songea-t-elle.

Elle esquissa un semblant de sourire. On ne parvenait pas toujours à contrôler les expressions de son visage, n'est-ce pas ?

— Je te raccompagne.

En silence, ils atteignirent l'entrée. Là, Jay ramassa le T-shirt et la chemise que la jeune femme lui avait arrachés dans sa hâte de faire l'amour.

Après s'être rhabillé, il embrassa Kery avec tendresse.

— C'était merveilleux, chuchota-t-il.

— Oui, acquiesça-t-elle.

— A demain.

Malgré son désir de s'accrocher à lui comme une petite fille, de l'implorer de ne pas partir, elle réussit à adopter l'attitude qu'il attendait d'elle — elle le savait. Celle d'une adulte responsable.

— A demain, oui. A moins que tu n'aies envie de vivre dans un bureau aux murs à moitié peints.

Après que Jay fût sorti, Keri verrouilla la porte d'une main tremblante, puis elle retourna se coucher, le corps et le cœur frustrés.

Pourtant, elle dormit mieux qu'elle ne l'avait imaginé. Et au matin, à force de se sermonner, elle abandonna tous ses griefs à l'encontre de Jay. Après tout, de quel droit le blâmerait-elle de se montrer moins romantique qu'elle ne l'aurait souhaité ? Si elle rêvait de dîners aux chandelles, d'un lit semé de pétales de roses, elle s'était trompée d'homme, voilà tout.

*
* *

Andy était déjà là lorsqu'elle arriva. Perché sur un coin de son bureau, il sirotait un café.

— Vous en voulez ? proposa-t-il.

— Non, merci, je viens d'en prendre un.

— Vous avez passé une bonne soirée ?

Le visage de Keri demeura impassible.

— Formidable, répondit-elle.

Jay avait-il dit à Andy quelque chose du genre : « Devine ce que je fais avec Keri ? » Les hommes échangeaient-ils ces sortes de confidences entre eux ? Surtout quand ils avaient vécu ensemble dans un environnement où les femmes devaient se tenir à leur place — une place qui n'était pas forcément importante, d'ailleurs !

— Et vous ? ajouta-t-elle.

Le colosse haussa les épaules.

— Très calme. Je devrais sortir de chez moi. Et surfer un peu plus sur internet, histoire de faire des rencontres.

— L'Amérique vous manque ?

Andy remua son café, hocha la tête.

— Je me plais beaucoup en Angleterre. C'est petit, entouré par la mer. Je m'y sens en sécurité.

— Mais ce n'est pas chez vous…, se risqua à remarquer Keri.

Il sourit.

— Qu'est-ce que c'est, « chez soi » ? L'endroit où vous posez votre chapeau ? J'ai posé le mien dans des centaines de lieux différents depuis l'âge de dix-huit ans et j'en ai presque trente-deux. Mes parents sont morts. Mes sœurs sont mariées et dispersées un peu partout dans le monde. Alors, je peux dire que je suis chez moi ici.

Pour la jeune femme, il ne s'agissait pas seulement d'une incursion dans la vie d'Andy, mais dans celle de Jay aussi.

Il avait connu le même parcours nomade. Il faisait partie de ces gens jamais lassés de découvrir de nouveaux pays, de rencontrer de nouvelles personnes.

Justement, il arrivait. La jeune femme entendait le bruit de ses pas à l'extérieur. Aussitôt, une tension l'envahit. Comment se comporterait-il à son égard aujourd'hui ? Avec froideur ? Avec indifférence ? Se pouvait-il que... De minuscules gouttes de sueur perlèrent à son front. Avait-il considéré leur relation comme une aventure d'une nuit ? s'interrogea-t-elle. Ou de deux nuits, rectifia-t-elle, par souci d'honnêteté.

Il entra, retira son casque, prit le courrier qu'Andy lui tendait et se dirigea directement vers son bureau, tournant légèrement la tête de côté pour demander :

— Veux-tu venir juste un moment, Keri ?

Il s'agissait d'un ordre. A contrecœur, la jeune femme se leva, et adressa au colosse un sourire qu'elle espérait plein d'assurance. Puis, le cœur battant la chamade, elle pénétra dans le bureau de Jay.

— Entre. Et ferme la porte derrière toi.

Elle s'exécuta, puis demeura un instant sur place, figée, incapable de bouger. Jay l'encouragea :

— Eh bien ! Tu ne viens pas m'embrasser ?

Malgré le désir fou qu'elle avait d'obtempérer, elle rétorqua :

— Et si je refuse ?

Sans répondre, il parcourut lentement des yeux le corps de la jeune femme, la déshabillant effrontément du regard, se délectant de la rougeur de ses pommettes, de son air embarrassé.

— Tu n'en as pas envie ?

— En avoir envie est une chose. Le faire en est une autre. Tu le sais aussi bien que moi. Andy est-il au courant ?

— Au courant de quoi, exactement ?

« A propos de *nous* », pensa Keri. Mais ce *nous* aurait paru possessif dans sa bouche. Elle en eut conscience. Aussi préféra-t-elle dire :

— Sait-il que nous sommes amants ?

Jay arqua les sourcils.

— Je n'ai pas décroché le téléphone pour l'appeler quand je t'ai quittée hier soir, si c'est que tu veux dire. Et, à moins que tu ne le lui aies annoncé avant que je n'arrive, la réponse est non. D'ailleurs, je n'ai pas pour habitude de me vanter de mes conquêtes.

— Je ne savais pas que tu me considérais comme l'une de tes *conquêtes*, s'indigna Keri.

— Je t'en prie. Ne joue pas sur les mots. Tu déformes ma pensée.

— Préfères-tu que nous utilisions le langage des signes ? Nous aurions peut-être plus de chances de nous comprendre.

— Je suggère plutôt que nous communiquions par le toucher.

La jeune femme ne put s'empêcher de sourire. Ce qui eut pour effet de détendre Jay.

— Tu aimes les comédies musicales ? s'enquit-il. J'ai des places pour ce soir.

Il cita le plus gros succès du moment, dans lequel deux gloires d'Hollywood faisaient leurs débuts sur scène.

— Je croyais qu'ils jouaient à guichets fermés et qu'il était impossible de se procurer un seul billet, objecta Keri.

— Eh bien, moi, j'ai réussi à en avoir deux ! se vanta-t-il. Alors, je passe te prendre ? Disons vers sept heures ? On ira boire quelque chose avant, si tu veux.

Elle sourit, confiante. L'invitation de Jay ressemblait à un véritable rendez-vous. Il n'y avait aucune raison de refuser.

— Avec plaisir, répondit-elle.

Et elle espéra que sa voix ne trahissait pas un trop grand enthousiasme.

12.

L'avion atterrit sous les applaudissements des passagers. Un violent orage avait rendu le vol difficile. Alors que la plupart des voyageurs avaient été terrifiés, Jay avait conservé calme et sang-froid. Pour avoir déjà traversé maintes fois ce genre de moments angoissants, il savait que, si un avion devait s'écraser, les cris n'empêchaient pas la catastrophe de se produire.

Il s'était rendu à Manchester pour venir en aide à l'un de ses détectives chargé de retrouver une enfant enlevée dans une sordide affaire de divorce. La police n'ayant pas réussi à localiser la fillette, la mère avait fait appel aux services de l'agence Linur's.

Grâce aux efforts conjugués des deux hommes, la situation, pourtant explosive, avait connu une issue heureuse. Après une longue nuit d'attente dans le froid glacial, puis l'aube lugubre qui avait suivi, l'enfant avait été libérée et mise en sécurité.

Tout en se félicitant du résultat de l'opération, Jay avait pris conscience que, pour la première fois, il n'avait pas traité l'affaire avec la neutralité qu'on attendait de lui. Au lieu de rester impartial, comme à son habitude, il s'était identifié à la petite fille. Il avait vécu avec elle, minute après minute, la terreur et le désarroi. Bien sûr, il avait accompli sa mission, mais il avait l'impression que quelqu'un d'autre avait agi à sa place.

Jay soupçonnait Keri d'être à l'origine de cette faiblesse. Mettez une seule femme dans un navire bondé de matelots et la traversée s'en trouvait modifiée. Les femmes transformaient n'importe quelles données. Insidieusement, elles sapaient les forces des hommes, leur rognaient les ailes, les contraignaient à abandonner le statut que la nature leur avait conféré.

En tout cas, Jay ne se laisserait pas domestiquer. Plus tôt Keri l'apprendrait, mieux cela vaudrait. Et tant pis si elle le prenait mal. Comme elle avait mal pris le fait qu'il ne lui donnât pas d'explication sur son départ précipité.

— Je pars dans le nord pour affaires, avait-il annoncé.

— Quel genre d'affaires ? avait-elle demandé.

— Cela ne te regarde pas, ma chérie.

Il avait vu la mine de la jeune femme s'assombrir. Qu'espérait-elle ? Qu'il lui remît une feuille de route avec son emploi du temps détaillé ? *Primo*, il s'agissait d'un secret professionnel — vital dans ce genre d'opérations. *Secundo*, il avait le droit d'aller et venir à sa guise sans rendre de comptes à quiconque. Et surtout pas à une femme.

Un message de Keri l'attendait sur son répondeur. « Viens dès que tu seras rentré. Je te préparerai un bon dîner. »

Jay n'avait pas besoin de dîner. Il avait besoin de se perdre dans le corps de Keri, d'oublier le drame humain qui s'était joué ce matin. Sans attendre une seconde, il se rendit chez elle.

Elle le reçut, les cheveux en bataille, les yeux écarquillés.

— Oh, mon Dieu ! C'est déjà l'heure ?

Il la prit dans ses bras. Elle sentait le lait chaud et la pomme.

— C'est réconfortant d'être accueilli avec autant d'enthousiasme, plaisanta-t-il.

Comme elle le gratifiait d'un baiser rapide, il entendit les pleurs d'un enfant. Après l'épisode dramatique de la fillette secourue cette nuit, sans doute son imagination lui jouait-elle des tours, pensa Jay. Cependant, les pleurs redoublèrent.

— Bon sang, mais qu'est-ce que c'est ? s'exclama-t-il.

Keri avait déjà échappé à son étreinte et elle filait dans le couloir en direction des cris.

— C'est — oh, viens avec moi, Jay — c'est William, dit-elle.

Il la suivit. Les pleurs s'étaient transformés en hurlements. Quand il pénétra dans le salon, d'habitude paisible et bien rangé, il découvrit un désordre indescriptible — sol jonché de coussins, de crayons, le contenu d'une corbeille de fruits éparpillé sur le canapé. Au milieu de ce chaos, un petit garçon sanglotait dans le cou de la jeune femme.

— Chut, Will, chut, tout va bien, susurrait-elle. Regarde, c'est Jay.

William tourna la tête vers le nouveau venu, le regarda, puis se mit à crier encore plus fort en cachant de nouveau sa frimousse.

— Il se calmera dans une minute, affirma Keri, quand il se sera habitué à toi. Il est un peu farouche avec les gens qu'il ne connaît pas. Erin est allée chez le pédicure, ajouta la jeune femme.

Ainsi, la sœur de Keri se faisait peindre les ongles des orteils en rouge pendant que sa progéniture ameutait tout le quartier ? s'indigna Jay en son for intérieur. Les deux femmes seraient-elles l'une comme l'autre esclaves de leur beauté ?

Pourquoi arborait-il cette mine sinistre ? s'interrogea Keri. La présence de William le contrariait-elle à ce point ?

— Sers-toi à boire, suggéra-t-elle.

— Je n'ai pas soif, rétorqua-t-il d'un ton sec. Je n'ai pas dormi de la nuit et je suis éreinté. Puisque tu es occupée, je te verrai demain.

Elle ouvrit la bouche comme pour parler, mais y renonça. Ses cheveux défaits se mêlaient à ceux, aussi noirs que les siens, de William. L'enfant semblait à présent intéressé par Jay, qu'il fixait de ses grands yeux. Les joues en feu, le garçonnet sur sa hanche, Keri paraissait à des années-lumière du mannequin glacial posant sous les objectifs des photographes, sans cesser pour autant d'être infiniment désirable.

Plus que jamais, Jay eut envie de la posséder. Toutefois, il la voulait exclusivement à lui, et il se maudit de la désirer avec une telle avidité.

— Je te laisse, ajouta-t-il.

— Très bien, répondit-elle d'une toute petite voix.

Tandis qu'elle le regardait sortir, une sombre prémonition commença à envahir son cœur.

L'attitude de son amant à son égard était en train de changer. Quelque chose se passait. Quelque chose qui l'éloignait d'elle.

Elle installa William sur le canapé. L'enfant saisit l'une des pommes à portée de sa main et joua avec, avant de la grignoter. La jeune femme ramassa les coussins et les remit en place, ruminant des pensées toutes plus amères les unes que les autres.

Jay n'avait jamais passé une nuit entière avec elle. Même la première fois, dans la maison isolée, il s'était levé pendant qu'elle dormait encore.

Au début, elle s'était gardée de lui en faire la remarque, de peur qu'il ne la jugeât possessive, ce qu'elle n'était pas ! En fait, elle aurait seulement souhaité s'éveiller à ses côtés, lui toucher le visage, la bouche, puis préparer le petit déjeuner, qu'ils auraient pris ensemble, comme un couple normal.

Cependant, plus tard, alors qu'adossée à son oreiller, le corps alangui, elle le regardait s'habiller, elle s'était risquée à demander :

— Es-tu *obligé* de t'en aller, Jay ?

Tout en enfilant son chandail, il avait répondu :

— Oui, Keri. Je ne peux pas faire autrement.

Un silence tendu, oppressant, avait suivi. Puis Jay avait expliqué :

— Mon travail m'amène à sortir à des heures impossibles. En plus, à cause du décalage horaire, je ne peux pas joindre les Etats-Unis pendant la journée.

— Et si je te disais que cela ne me dérangerait pas d'être réveillée au milieu de la nuit ? avait-elle rétorqué en affectant une mine aguicheuse.

— Non, Keri, non, avait-il murmuré, le regard soudain assombri. Pense à l'effet que cela produirait dans ton agence, si tu arrivais avec des cernes violets sous les yeux.

Une manière nette et diplomatique d'écarter le sujet. Mais blessante aussi.

Mortifiée, elle s'était juré de ne plus jamais quémander un supplément de tendresse. Jamais.

Autre constat : pas une fois, Jay ne l'avait invitée chez lui. Pour quelle raison ?

L'arrivée d'Erin interrompit le cours des réflexions de Keri.

— Oh, il y a des siècles que je ne me suis pas sentie aussi bien ! s'exclama la nouvelle venue.

Elle alla vers William, lui enfila son manteau.

— Ne gigote pas comme ça, mon chéri, gronda-t-elle gentiment, je n'arrive pas à boutonner…

Quelque chose dans l'attitude de sa sœur dut l'alerter, car, au lieu de terminer sa phrase, elle s'inquiéta :

— Tu en fais une tête ! Qu'est-ce qui se passe ?

Keri haussa les épaules.

— J'ai reçu la visite de Jay.

Erin regarda autour d'elle.

— Et où est-il ?

— Il est reparti.

— Vous vous êtes disputés ?

— Non.

— Alors pourquoi cette mine d'enterrement ? Que se passe-t-il, Keri ? A moi, tu peux tout dire, tu le sais.

— Quand tu es arrivée, j'étais en train de penser que… je… en fait, je n'ai jamais mis les pieds chez lui.

— Eh bien, c'est le moment d'y aller. Refais-toi une beauté et va le surprendre.

— Non, répondit Keri doucement. Je ne pourrais pas…

Erin parut fâchée.

— Pour l'amour du ciel, Keri ! Es-tu une adulte ou une gamine ? Q'est-ce que tu risques ? Qu'il ne te laisse pas entrer ?

Qu'il lui ouvrît sa porte ou non n'était pas le souci majeur de la jeune femme. Une question autrement angoissante la harcelait : Jay la désirait-il toujours ? Le monde continuerait-il de tourner si leur histoire était terminée ? En tout cas, le sien s'effondrerait.

Mieux valait en avoir le cœur net. Vivre avec cette incertitude tenait du cauchemar. Erin avait raison. Il fallait filer chez Jay sans perdre une seconde.

Elle prit un taxi, qui la déposa à Greenwich, près du fleuve et du parc. Elle reconnut la moto parmi les luxueuses voitures garées le long de la rue où habitait son amant.

Ses doigts tremblaient lorsqu'elle sonna à la porte. Il lui ouvrit pieds nus, vêtu seulement d'un jean, les cheveux encore humides. Il sortait manifestement de la douche.

— Keri ! s'exclama-t-il avec un sourire. Quelle surprise ! Entre.

Il nc lui interdisait donc pas l'accès à son appartement, songea la jeune femme. Elle entra, regarda autour d'elle. La pièce était immense, avec des fenêtres qui offraient un panorama magnifique sur la Tamise, mais elle paraissait encore plus austère que le bureau où Jay travaillait. Un gigantesque canapé de cuir séparait le coin salon de la partie réservée aux repas, elle-même occupée par une table simple et quatre chaises de chêne massif. Seul complément au monacal décor de la pièce, une superbe chaîne stéréophonique. Quant à la cuisine, d'un modernisme effrayant, elle ressemblait à l'intérieur d'un vaisseau spatial.

Et il vivait là-dedans ! En pénétrant dans ce lieu, on avait l'impression d'accéder au domicile d'un individu toujours sur le pied de guerre, prêt à faire son bagage à n'importe quel moment, et qui n'avait pas eu le temps de laisser son empreinte.

— Assieds-toi, proposa-t-il. Tu veux boire quelque chose ?

— Oui, s'il te plaît.

Keri s'installa sur le canapé et tenta en vain de se relaxer. Elle se sentait aussi détendue qu'un demandeur d'emploi lors d'un entretien d'embauche.

— Ça fait longtemps que tu habites ici ? s'enquit-elle.

— Un peu plus d'un an. Ça te plaît ?

— Je... Oui. Oui... Quoique... je trouve que c'est un peu... un peu dépouillé.

— C'est le style que j'aime, rétorqua Jay d'un ton sec.

En somme, il s'agissait d'un avertissement, devina la jeune femme. Il n'admettrait pas que quiconque s'avisât d'apporter quelque modification que ce fût à sa façon de vivre.

Il ouvrit une bouteille de bourgogne blanc, emplit deux verres et lui en tendit un.

— J'ai fait du riz aux crevettes, annonça-t-il d'une voix radoucie. Tu en as déjà mangé ?

— Non.

— Alors, il faut absolument que tu y goûtes. Et tu verras ce que tu as perdu jusqu'à présent.

Le vin aidant, l'appétit vint à la jeune femme. Quand le plat fut sur la table, elle ne se fit pas prier pour manger.

C'était délicieux. Elle émit un petit gémissement de plaisir en dégustant la préparation exotique.

— Tu as l'air de te régaler, remarqua Jay. La première fois que je t'ai rencontrée, tu considérais la nourriture comme ton ennemi.

— Eh bien, j'ai changé ! Dîners tous les soirs et sandwichs le midi… D'ailleurs, ça se voit. J'ai grossi.

— Ça te va bien.

Keri posa sa fourchette et but une autre gorgée de vin.

— Peut-être, répliqua-t-elle. Mais Dieu seul sait ce qui se passera quand on me convoquera pour ma prochaine séance de poses.

La phrase resta suspendue dans l'air comme une bulle attendant d'éclater.

— Tu auras bientôt terminé la peinture à mon bureau, dit Jay.

— Oui.

— Et tu as l'intention de continuer à faire le mannequin ? demanda-t-il.

Il évoquait l'avenir, sujet que la jeune femme aurait préféré éviter. Elle cacha toutefois son angoisse sous une apparente légèreté.

— Bien sûr que je vais continuer ! Qu'imagines-tu ? Que je vais m'établir comme architecte d'intérieur ?

— Pourquoi pas ? Tu es douée.

— Je n'ai ni qualification ni expérience.

—Et alors ?

— Les choses ne se passent pas aussi simplement que cela, Jay ! Il serait temps que tu le comprennes !

La chaleur apportée par le bourgogne s'était évaporée au fil des mots qu'elle avait prononcés. Une immense crainte gagna la jeune femme. Une fois qu'elle aurait fini de repeindre les bureaux de Jay, reverrait-elle son amant ? Il ne lui avait rien dit et elle redoutait de lui poser la question.

— Tu ne manges plus, observa-t-il avec douceur.

Qu'il aille au diable, avec son indifférence et sa stupide obstination à ne pas vouloir passer une vraie nuit avec elle !

Keri repoussa son assiette, étira les bras au-dessus de sa tête et bâilla.

— Je suis fatiguée moi aussi, avoua-t-elle.

Jay fixa le T-shirt tendu sur les seins manifestement offerts à sa convoitise, les longs cheveux répandus le long du visage au teint rosi par l'alcool. Il savait ce que cette attitude signifiait. C'était une démonstration éhontée de l'empire qu'elle exerçait sur lui. L'espace de quelques instants, il lutta contre l'envie qu'il avait de la prendre dans ses bras. Mais s'il lui faisait l'amour, il pourrait difficilement lui demander de partir ensuite.

En admettant qu'elle restât, où cela les conduirait-il ? A partager d'autres nuits, et d'autres encore. Toujours plus… Bientôt, Keri investirait sa salle de bains essentiellement masculine avec sa panoplie de femme et laisserait traîner ses sous-vêtements de dentelle partout. Ensuite, elle mettrait le nez dans son emploi du temps, surveillerait ses allées et venues. Et avant qu'il ait eu le temps de lever le petit doigt, ils se retrouveraient tous les deux en train de pousser un chariot dans un supermarché. Etait-ce la vie dont il avait rêvé ?

— Viens ici, dit-il d'une voix de velours.

Quelque chose dans l'expression masculine mit la jeune femme en garde : elle devait obtempérer.

Tel un automate, elle se leva pour venir s'asseoir sur ses genoux.

— Non, pas tout de suite, objecta-t-il. Déshabille-toi d'abord.

Elle cilla, le considérant avec stupéfaction.

— Tu ne veux pas ? interrogea-t-il d'un ton plus rauque. Tu ne veux pas te mettre nue devant moi ? Je pensais pourtant que c'était ce dont tu avais envie.

Elle éprouva une drôle de sensation le long de sa colonne vertébrale. Elle avait l'impression d'être... D'être quoi ? Une exhibitionniste ? Une fille de cabaret ? Elle le fixa, ébranlée.

— Non, tu te trompes, affirma-t-elle.

Il haussa les sourcils mais, au fond de lui, il savait qu'il était en train de la tester. Il l'avait blessée, c'était évident. Preuve que, pour Keri, leur relation dépassait les limites d'une aventure agréable. S'il n'y mettait pas fin tout de suite, elle souffrirait davantage.

Il vit le tremblement de ses lèvres. Quelque chose fondit en lui. Alors il tendit le bras vers la jeune femme et chuchota :

— Embrasse-moi.

Elle résista, jusqu'au moment où la bouche de Jay se posa sur son cou. Alors, elle ferma les yeux et murmura :

— Oh, Jay...

Comme elle haïssait la mollesse qui s'infiltrait, insidieuse, dans sa chair, et la contraignait à s'abandonner aux mains de cet homme au magnétisme irrésistible !

Il l'emmena dans la chambre, la dévêtit lui-même, lentement — trop lentement au gré de Keri —, en embrassant chaque parcelle du corps qu'il dénudait. De son côté, elle caressa le torse puissant, puis les hanches, avant que ses doigts ne s'égarent plus bas.

— Keri, gémit-il.

Elle se laissa glisser le long du corps musclé et, de la pointe de la langue, agaça le ventre ferme, puis le sexe tendu, cherchant les points les plus sensibles.

Jamais elle n'avait fait cela à un homme. Même pas à Jay. Elle suivait seulement son instinct, attentive au plaisir qu'elle dispensait, guidée par les réactions de son compagnon, par sa respiration, par les plaintes qu'il laissait échapper. Et lorsqu'il se redressa à demi pour la repousser, elle refusa de le libérer. Elle voulait posséder cette partie essentielle de son amant d'une manière presque primitive, goûter sa substance comme elle goûtait le sel du sang, de la transpiration, des larmes aussi.

Il frissonna, se convulsa, immergé dans un flot de volupté. Vulnérable, en cet instant magique. Totalement vulnérable.

Il la souleva en l'écartant de lui, l'amena à se rallonger sur le dos, se coucha sur elle, les yeux fiévreux, le souffle haletant. Il garderait Keri dans son lit toute la nuit. Il venait d'en prendre conscience.

— A ton tour, maintenant, dit-il d'une voix étrange.

13.

Le lendemain, Jay se révéla tendu. Distrait aussi. Keri n'eut aucune peine à le remarquer.

Ils avaient pris leur douche ensemble, s'étaient habillés pour se rendre au travail et, quand elle avait annoncé son intention d'appeler un taxi pour elle, il avait semblé soulagé.

Au fil des heures, alors que la jeune femme flottait sur un petit nuage, heureuse de s'être enfin réveillée auprès de Jay, celui-ci se montra de plus en plus taciturne, préoccupé. Aussi s'étonna-t-elle à peine de l'entendre annoncer qu'il devait « récupérer » ce soir-là. Ni l'un ni l'autre n'avaient beaucoup dormi et elle accepta donc la chose avec philosophie.

Cependant, le lendemain lui apporta une vraie surprise.

Il pleuvait à verse lorsqu'elle arriva au bureau de Jay. Le visage ruisselant, elle gravit l'escalier. En poussant la porte du bureau, elle eut conscience, pour la première fois, que sa mission touchait à sa fin.

Les locaux étaient à peine reconnaissables. Le résultat dépassait ses espérances. Même par ce temps gris et maussade, les couleurs fortes, vibrantes, qui avaient remplacé les tons blêmes donnaient à l'endroit une luminosité accentuée encore par les reflets de la Tamise. D'ailleurs, Jay l'avait remarqué.

— Tu fais partie de ces très rares personnes qui savent tout de suite ce qu'ils peuvent tirer d'un lieu, avait-il dit. C'est un don, Keri. Tu as réussi quelque chose de merveilleux.

Il manquait peut-être quelques tableaux supplémentaires aux murs, songea-elle. Et une plante verte, avec de grandes feuilles, là-bas, dans le coin.

Andy était au téléphone. Il raccrocha au moment où elle suspendait à la patère son imperméable trempé.

— Salut, Keri, lança-t-il d'un ton un peu trop désinvolte.

Quelque chose n'allait pas. Elle le pressentit tout de suite.

— Ça ne va pas ? demanda-t-elle.

— Ça dépend de ce que vous entendez par…

Andy s'interrompit.Elle l'aimait beaucoup. Il avait une nature décontractée, peu compliquée. Pourquoi donnait-il soudain l'impression d'être assis sur un nid de fourmis rouges ?

— Où est Jay ? s'enquit-elle.

Le colosse inspira profondément, comme quelqu'un qui cherchait à gagner du temps avant d'annoncer une mauvaise nouvelle.

— Il est parti.

— Parti ? Parti où ?

— Il a dû prendre un avion pour New York ce matin.

— Combien de temps sera-t-il absent ?

— Il ne l'a pas dit.

Abasourdie, la jeune femme ne put masquer son désarroi.

— Ce n'était pas prévu, Keri, ajouta Andy.

Elle fixa le sol sans le voir. Peut-être ce départ était-il en effet imprévu ? Mais le téléphone existait ! Et le courrier électronique aussi ! De nos jours, on pouvait expédier un e-mail d'un aéroport, que diable ! Et cette note de compassion qu'elle avait perçue dans la voix d'Andy, que signifiait-elle ?

Elle releva la tête.

— Vous connaissez la nature des relations que nous entretenons, Jay et moi, n'est-ce pas ? Il vous en a parlé ?

— Jay ne discute jamais de sa vie personnelle avec moi. Jamais. Je l'ai deviné tout seul.

Avec un bon sourire, le colosse poursuivit :

— Un homme et une femme ne se donnent pas tant de mal pour s'éviter mutuellement sans raison.

S'ils s'étaient évités autant que possible dans le cadre du travail, c'était à l'instigation de Jay. Cependant, en y réfléchissant, celui-ci s'était arrangé pour qu'ils n'aient pas de contact ailleurs non plus. Jamais il n'avait dormi avec elle avant cette nuit, dont il lui avait fait l'aumône. A contrecœur.

Keri avait-elle commis ce crime typiquement féminin de prendre ses désirs pour la réalité ? Elle avait voulu le voir éprouver à son égard les sentiments qu'elle-même éprouvait pour lui, mais, à l'évidence, son vœu n'avait pas été exaucé.

Andy lui tapota gauchement la main. Geste de réconfort touchant de la part d'un homme qui semblait taillé dans le roc.

— Il ne faut pas prendre son attitude pour une offense personnelle, vous savez, ajouta-t-il. Il est comme ça.

— Comme ça ? Cela signifie quoi exactement ?

— Eh bien…

De nouveau, le colosse prit une profonde inspiration avant de continuer :

— Il ne supporte aucune contrainte. Il ne veut avoir de comptes à rendre à personne. C'est un esprit indépendant et, lorsqu'il pense qu'il y a un risque pour sa liberté, il coupe les ponts et il s'en va.

— Pour fuir quoi ? demanda la jeune femme d'une voix détimbrée. Lui-même ?

— Qui sait ? Peut-être.

Après un silence, Andy poursuivit :

— Il faut que je vous dise quelque chose. Je le connais depuis longtemps et je le considère comme le meilleur chef que j'aie jamais eu. Pourtant, parfois, j'ai l'impression de ne rien savoir de lui. Il est rude, froid, et ne montre jamais ses émotions. Ce qui est certes nécessaire quand on commande des hommes.

Il marqua une pause, puis reprit :

— Quand j'ai quitté les SEALs, j'ai… comment dire ?… j'ai perdu les pédales. Un grand nombre de gars qui ont servi dans les commandos n'arrivent pas à s'adapter à la réalité. C'était mon cas. J'ai commencé à boire — comme un trou ! — et puis… et puis un jour, je me suis laissé entraîner dans la drogue.

Il plissa les paupières et la jeune femme perçut dans son regard une expression douloureuse.

— Quand Jay m'a retrouvé, j'étais une loque. Il m'a redonné apparence humaine. Et il m'a averti que si jamais je m'avisais à toucher de nouveau à cette saleté, j'aurais affaire à lui. Je l'ai cru.

La voix d'Andy s'était modifiée. Ses yeux n'avaient jamais paru aussi bleus.

— Et c'est comme ça que je m'en suis tiré, poursuivit-il. Il m'a donné un emploi. En fait, il m'a mis en demeure de venir travailler ici quand il a démarré son entreprise. Et j'ai donné un grand coup de collier, parce que je tenais à lui montrer combien je lui étais reconnaissant. En somme, je lui devais la vie.

Keri hocha la tête, partagée entre un sentiment d'admiration envers son amant et l'amertume de le savoir parti.

— Il *sauve* les gens, Keri, dit encore Andy. Voilà ce qu'il fait. Il voit ce qui manque aux autres, il leur procure ce dont ils ont besoin, et puis il s'en va.

Il sauvait les gens.

Bien sûr !

Tout devenait clair, soudain, dans l'esprit de la jeune femme. Il l'avait sauvée. *Elle*. D'abord de la neige. Puis de sa détresse sexuelle. Il avait fait d'elle une femme capable d'éprouver du plaisir. D'en donner aussi.

Maintenant qu'il avait accompli sa mission, il était parti ailleurs. Devait-elle lui en vouloir ? S'il y avait quelqu'un à blâmer, c'était elle. Pour ne pas avoir compris le sens véritable de leur relation. Ou plutôt, pour avoir refusé de le comprendre.

Keri redressa la tête comme quelqu'un qui vient d'apprendre une mauvaise nouvelle, mais pour qui la vie continuait.

— Bon, je vais terminer le travail pour lequel on me paie, déclara-t-elle.

Affichant le sourire qu'elle réservait d'ordinaire aux photographes, elle ajouta :

— N'ai-je pas droit à une tasse de café ce matin, Andy ?

Elle mit Erin au courant de la situation entre deux crises de larmes et deux gorgées de vin. Sa sœur tenta de la consoler :

— Tout n'est peut-être pas terminé…

— Il faut que ce soit terminé, affirma Keri. Il le faut, pour ma tranquillité d'esprit.

Elle savait que ses sentiments pour son amant ne feraient que croître… Et que Jay ne renoncerait jamais à sa chère liberté.

— Et s'il appelle, que lui diras-tu ? demanda sa jumelle.

Keri la contempla un long moment en silence avant de répondre :

— Eh bien, en fait… j'espérais que tu te chargerais de lui parler.

Erin la considéra, l'air incrédule.

— Oh, Keri ! Tu n'y penses pas ! protesta-t-elle.

— S'il te plaît, Erin. On s'est toujours rendu ce genre de services quand on était plus jeunes, rappelle-toi.

— Tu es sérieuse ? Nous ne sommes plus des gamines. Et puis, j'ai pris cinq kilos, alors que toi…

— Sous un chandail ample, ça ne se verra pas.

Erin paraissait furieuse à présent.

— Bon sang, Keri, tu as couché avec cet homme ! Qu'est-ce que je ferai quand il m'entraînera au lit, hein, tu peux me le dire ? Il sait que tu as une sœur jumelle, je suppose ?

Keri acquiesça d'un hochement de tête.

— Et à ton avis, combien de temps lui faudra-t-il pour flairer la supercherie ? continua Erin. Une seconde ? Ou deux ?

Peut-être avait-elle raison ? Jay sentait tout de suite si une femme avait envie de faire l'amour avec lui. Non seulement il ne tomberait pas dans le piège, mais la mystification le rendrait fou de rage.

Et alors ? Keri n'avait que faire de la rage d'un amant de passage.

— On pourrait organiser la rencontre dans un restaurant, suggéra-t-elle. A une heure de pointe. Jay déteste les démonstrations d'affection en public. Il ne portera pas le petit doigt sur toi, j'en suis sûre. Dès que vous avez terminé les hors-d'œuvre, tu dis ce que tu as à dire, tu t'en vas et tu le laisses payer l'addition. Ainsi, il n'aura pas le temps de s'apercevoir que ce n'est pas moi.

— Et je lui dis *quoi* exactement ?

— Que tu ne veux plus le revoir. Tu n'as pas besoin de donner de justifications, Erin. Lui, il n'a eu aucun scrupule à partir sans me laisser un mot d'explication, et sans même me dire au revoir. Naturellement, tu ne le feras que *si* il téléphone. Ce qui est peu probable.

Il y eut un silence, qu'Erin finit par briser pour demander :

— Mais pourquoi ne veux-tu pas lui parler toi-même ?

— Parce que j'ai peur de ne pas pouvoir lui résister. Erin, je t'en prie…

— Ma couleur de cheveux est différente de la tienne.

— Mon coiffeur se fera un plaisir d'arranger cela. A mes frais, naturellement. Ce sera mon cadeau de remerciement. D'accord ?

Les deux sœurs échangèrent un sourire complice, puis Erin demanda :

— Tu as dit : un chandail ample ? Et il faudra choisir un restaurant très fréquenté.

— Où est-elle ?

Au moment même où il avait mis les pieds dans le bureau, Jay avait pressenti que quelque chose n'allait pas. Les travaux étaient terminés. Une plante verte vigoureuse, qu'il n'avait jamais vue, occupait un coin de la pièce. Les murs rutilaient d'une tonalité vibrante. Malgré cela, il régnait dans la pièce une atmosphère étrange qui le mettait mal à l'aise.

Andy tendit une tasse de café à son patron. L'air innocent, il demanda :

— Qui ?

— Qui ? Keri, naturellement.

— Les travaux sont terminés, patron. Elle est partie.

—Partie ? répéta Jay d'une voix blanche.

Il s'était exilé à New York dans l'espoir de l'oublier, mais le souvenir de la jeune femme l'avait hanté jour et nuit. Enfin, un matin, il s'était rendu compte qu'il avait laissé à Londres un trésor précieux. Alors, il avait repris l'avion pour rentrer.

— Qu'a-t-elle dit ?

— Pas grand-chose. Elle a juste fait la facture. Vous la trouverez sur votre bureau.

Une enveloppe l'attendait, effectivement. Avec la note mentionnant la somme qu'il devait. Et rien de plus. Pas un mot.

Sans réfléchir, il prit le téléphone et composa le numéro de la jeune femme. Dieu merci, elle décrocha.

— Keri ?

Elle sentit son cœur s'accélérer. « Allons, reste calme », se recommanda-t-elle.

— Jay ?

— Oui. Je t'ai manqué ?

Bien sûr qu'il lui avait manqué ! Mais elle ne s'abaisserait pas à l'avouer. Aussi répondit-elle :

— J'ai été très occupée. Des photos pour un magazine.

— Ah ? Quelque chose d'intéressant ?

— Une publicité pour de la lingerie.

Un court silence suivit ces paroles, puis Jay reprit :

— Alors, quand est-ce qu'on se voit ?

Tiens ! Il était parti sans l'avertir et, maintenant, il revenait presque en rampant ? Parce qu'il ne pouvait se passer d'elle physiquement. Ce qui, sans doute, n'était pas négligeable. Mais insuffisant.

Tant pis. Autant faire tout de suite le deuil des rêves qu'elle avait caressés.

Keri consulta son agenda. Jay ignorait que les pages en étaient vierges.

— Si on déjeunait cnsemble ? suggéra-t-elle. Demain ?

— Déjeuner ?

Il paraissait surpris.

— Ça ne te pose pas de problème, je suppose, dit-elle.

Justement, si ! songea-il. Il aurait préféré l'emmener dans son lit. Par ailleurs, comme il venait de rentrer, on avait besoin de lui au bureau.

Jay hocha la tête. Il mourait d'envie de la voir immédiatement. Ou, à la rigueur, dans la soirée. Cependant, il savait qu'il n'avait pas le droit de l'exiger. A cause de la manière dont il avait fui. Il avait perçu la froideur avec laquelle elle lui parlait. A juste titre. Il ne méritait pas plus d'égards.

— D'accord pour le déjeuner, acquiesça-t-il. Où ?

Keri ferma les yeux et nomma un restaurant. « Que Dieu me pardonne, pensa-t-elle. Mais je suis obligée d'agir ainsi. »

14.

Il y eut un léger murmure dans le restaurant quand elle entra. Les yeux de Jay se portèrent vers elle.

Il n'était pas le seul à la regarder avancer en direction de sa table. Belle à damner un saint. Ça, il le savait déjà. Mais il avait rarement eu l'occasion de l'observer ainsi, de loin. Il plissa les paupières.

Elle arriva à sa hauteur, les doigts crispés sur son sac.

— Bonjour.

Elle s'assit. Il remarqua le tremblement de ses mains, scruta ses yeux, ne put rien y déceler à cause de son maquillage, plus sophistiqué que d'habitude, et de sa maudite frange qui lui mangeait la moitié du visage.

Elle s'éclaircit la gorge.

— Avant que nous n'allions plus loin, il y a quelque chose que je veux te dire, Jay.

Il avait toujours été circonspect de nature. Cependant, en cet instant, il avait l'impression que ses facultés de perception se décuplaient. Du bout du pouce, il se frotta pensivement la mâchoire.

— Tu ne veux pas boire quelque chose d'abord ? demanda-t-il.

— Non. Je ne suis pas venue pour boire. Ni pour manger d'ailleurs.

— Tiens donc ! Tu m'intrigues. Pour quelle raison es-tu venue, alors ?

Elle battit des cils, comme pour dissimuler son embarras.

— Ce n'est pas facile à dire…

— Allons, essaie. Je t'écoute.

— Je… Je voulais juste te dire combien j'ai apprécié ce que nous avons vécu ensemble. Mais j'ai beaucoup réfléchi et… Eh bien, voilà : je pense qu'il est préférable de ne plus nous revoir.

Un sourire timide aux lèvres, elle ajouta :

— Je le pense sincèrement.

Elle repoussa sa chaise pour se lever et reprit :

— Je ne crois pas que ma décision te brisera le cœur.

Quand elle fut debout, il sourit à son tour puis, d'un ton posé, interrogea :

— Puis-je vous demander une faveur avant que vous ne partiez ?

Elle le considéra, muette de stupeur.

— Dites à Keri que je l'appellerai, conclut-il.

Elle avait envisagé d'aller loger ailleurs pendant une semaine ou deux, et même de demander à son agence si elle ne pouvait pas l'envoyer poser pour des photos en Australie ou aux îles Fidji.

Mais à quoi cela aurait-il servi ? Puisque Jay voulait la voir, il arriverait à ses fins, dût-il traverser tous les océans et tous les continents du globe.

Alors, elle s'était résignée à le recevoir.

Il était là, sur le seuil, vêtu de noir comme à son habitude. Et l'air furieux. Presque menaçant. Le regard brûlant d'une rage contenue.

— Entre.

En silence, il pénétra dans le hall et referma la porte derrière lui. Quand il parla, sa voix vibrait de colère.

— Me prends-tu pour un imbécile, Keri ?

— Comment… Comment as-tu deviné ? bredouilla-t-elle.

Jay explosa :

— Comment j'ai deviné ? Tu me demandes comment j'ai deviné que tu avais envoyé ta jumelle faire le sale boulot à ta place ? Tu croyais vraiment que je tomberais dans le panneau ?

— Mais… nous nous ressemblons comme deux gouttes d'eau !

— Vous vous ressemblez, c'est vrai. Mais vous êtes différentes. De toute façon, il n'existe pas au monde deux êtres totalement identiques. Pour en revenir à ta jumelle et à toi, tu es mannequin, tu as appris à bouger d'une manière à la fois étudiée et naturelle. Ta sœur, non. Elle ne parle pas comme toi. Elle ne *pense* pas comme toi. Bon sang, je n'ai jamais vu de femme plus mal à l'aise ! Dis-moi, Keri, tu lui as forcé la main pour qu'elle accepte de se livrer à ce petit jeu ?

Sans répondre, la jeune femme tourna les talons et traversa le hall. Jay la suivit. Une fois dans le salon, il insista :

— Tu l'as obligée ?

— Oui, admit-elle dans un murmure.

— Pourquoi, Keri ? Dis-moi pourquoi ! Si tu voulais mettre un terme à notre relation, pourquoi ne me l'as-tu pas annoncé toi-même ? Une femme indépendante comme toi a déjà dû dire ce genre de choses à pas mal d'hommes, non ?

Elle se mordilla les lèvres, enfermée dans son mutisme.

— C'est si difficile de dire que tu en as assez de moi ? Que j'étais juste assez bon pour te faire découvrir le plaisir ? Que, maintenant que tu sais que tu es une femme normale, capable de jouissance, il est temps que je cède la place à un autre ? A un homme de ta classe ?

Curieusement, la jeune femme eut l'impression que ces paroles s'adressaient à une autre.

— Ne sois pas stupide ! se récria-t-elle dans un souffle. Il ne s'agit pas de cela et tu le sais très bien.

Le cœur de Jay battait à se rompre. Il avait envie de la secouer et de l'embrasser en même temps.

— Alors, de quoi s'agit-il, Keri ? demanda-t-il d'une voix adoucie. Dis-moi…

— C'est toi qui es parti sans m'avertir de ton départ.

— Dois-je comprendre que tu veux rompre uniquement parce que je suis parti en voyage d'affaires sans te demander la permission ?

— Cela n'avait rien à voir avec tes affaires ! Tu as fui !

Jay fronça les sourcils et considéra la jeune femme, incrédule.

— J'ai *fui* ? Et peux-tu me dire ce que j'ai fui ?

— Tu m'as fuie, *moi* ! Parce que tu aimes trop ta sacro-sainte liberté. Tu as fui parce que tu refusais de t'engager. Comme tu l'as fait toute ta vie. C'est Andy qui me l'a expliqué.

— Vraiment ?

La voix de Jay prit une tonalité dangereuse.

— Eh bien, je vais lui dire deux mots, à Andy, poursuivit-il. Pour qui se prend-il, celui-là ? Il est mon employé, pas mon psychanalyste !

— Je t'en prie, ne t'en prends pas à la mauvaise personne, rétorqua Keri, furieuse. Andy n'a fait que confirmer ce que j'avais déjà découvert toute seule. Reconnais que je t'ai facilité la tâche. Je viens de signer l'acte de ta libération. C'est fini ! C'est ce que tu voulais, n'est-ce pas ?

Il y eut un long silence pendant lequel Jay fouilla le regard de la jeune femme, ses propres yeux brûlant d'un feu intense.

— Et toi, c'est ce que tu voulais ?

Il lui retournait sa question. Comme s'il ne savait pas ce qu'elle voulait !

— C'est moi qui t'ai interrogé la première !

A ces mots, il éprouva une douleur fulgurante.

— Oh, Keri, bien sûr que ce n'est pas ce que je veux.

— Alors, que veux-tu exactement, Jay ?

Il lui devait la vérité, mais il craignait de ne pas trouver les mots justes. Jamais il n'avait eu à exprimer ce qu'il ressentait. Cette fois, il avait l'obligation de le faire. Non, il *souhaitait* le faire. Seulement, il ne savait pas comment s'y prendre.

Quand cela était-il arrivé ? s'interrogea-t-il. A quel moment s'était-il laissé capturer par ces yeux noirs, ardents, inquisiteurs, braqués sur lui ? Lui qui avait échappé aux pièges de preneurs d'otages, à des guerres civiles…

— C'est toi que je veux, déclara-t-il enfin.

— Bien sûr, Jay ! persifla la jeune femme. C'est pour cela que tu as fui ! Tu espères me faire gober ça ? Tu as fui parce que j'avais eu l'audace de m'inviter dans ton appartement et de passer toute une nuit avec toi ! Tu vois, tu ne pouvais pas me le faire comprendre de façon plus claire !

Il soupira.

— Je sais.

Pour la première fois, Keri décelait le défaut dans la cuirasse sous laquelle il s'abritait et sa colère rctomba aussitôt. Avec la prudence d'une personne chargée de nourrir un animal sauvage affamé, elle interrogea d'une voix radoucie :

— Alors, pourquoi ? Qu'est-ce qui a changé ?

— C'est moi qui ai changé. Ou plutôt, tu m'as amené à souhaiter changer. Avant, je refusais tout engagement. Parce que…

Jay s'interrompit. Il pouvait invoquer le divorce de ses parents et les allées et venues incessantes entre l'Angleterre et les Etats-Unis qui en avaient résulté. Ou le choix d'une carrière essentiellement virile nécessitant un détachement émotionnel autant qu'une liberté d'action.

Ou bien il pouvait s'en tenir à la réalité. La réalité, aussi incroyable fût-elle. Et tellement simple !

Il regarda la jeune femme.

— Parce que je n'avais pas rencontré la femme de ma vie, avoua-t-il. Maintenant, c'est fait.

Pendant un moment, elle refusa de croire ces paroles. Elle n'osa pas les croire. Mais le message qu'elle lut dans les yeux gris-vert la délivra de tous ses doutes, de toutes ses craintes. Jay l'aimait. Profondément. Et plus encore. Certes, il n'avait pas utilisé le vocabulaire conventionnel pour le lui dire, mais comment s'en étonner de la part d'un homme qui se moquait des conventions ? D'ailleurs, l'amour pouvait se passer de mots.

D'autres paroles suivraient peut-être. Pour l'instant, Keri savourait celles qu'elle venait d'entendre, comme elle savourait la lueur du regard masculin plongé dans le sien. Un regard dont l'expression trahissait une soudaine vulnérabilité.

En fait, elle-même se sentait fragile en cette seconde. Bizarrement, elle avait l'impression de se trouver sur le rivage d'une mer immense, prête à plonger dans les vagues déferlantes.

— Oh, Jay…

Un jour, il lui raconterait les batailles juridiques transatlantiques que ses parents s'étaient livrées autrefois, se promit-il. Il parlerait de sa peur de s'attacher à un lieu, sachant qu'à tout moment, la cour de justice risquait d'en arracher le petit garçon qu'il était.

Jay tendit les bras. Keri vint s'y blottir. Elle avait enfin trouvé, elle aussi, le havre de paix auquel elle aspirait. Longtemps ils demeurèrent ainsi enlacés. Très longtemps.

15.

La lumière avait cette transparence particulière aux Caraïbes. Des palmiers immenses bordaient le rivage baigné de vagues dansantes, bleu-vert, et l'ombre de leurs feuillages offrait une fraîcheur bienfaisante.

La dernière séance de poses était terminée. Mannequins, stylistes et photographes étaient à présent agglutinés autour du bar, où l'on servait des cocktails exotiques. Mais Keri supportait mal l'alcool, surtout quand la température dépassait les trente-cinq degrés. En outre, elle n'avait qu'une idée en tête : prendre l'avion pour rentrer en Angleterre.

Et rejoindre Jay.

— Je retourne à l'hôtel, annonça-t-elle en bâillant. Je vais faire une petite sieste et, ensuite, j'irai nager un peu.

Personne ne parvint à la convaincre de rester. Une femme amoureuse n'avait que faire des festivités quand l'objet de son amour se trouvait à l'autre bout du monde.

Au fil des mois, quelque chose s'était transformé en elle aussi. Parce que le temps changeait tout. Ses sentiments à l'égard de Jay étaient devenus plus profonds, plus forts. Le minuscule galet sur lequel leur relation s'était fondée s'était métamorphosé en un rocher solide. Ils vivaient deux vies parallèles, mais harmonieuses, chacun menant sa propre carrière avec succès. Ils passaient ensemble les nuits et les fins de semaine, soit dans l'appartement de Jay, soit chez Kery.

Elle jeta un coup d'œil vers l'eau limpide. Les êtres humains étaient-ils par nature condamnés à toujours convoiter ce qu'ils ne possédaient pas ? s'interrogea-t-elle. Jay et elle formaient un couple tel qu'elle l'avait rêvé. Cependant, elle désirait encore plus. Elle voulait se marier, avoir des enfants. Et elle savait que, malgré l'amour qu'il lui témoignait chaque jour, Jay n'accepterait pas de franchir ce dernier cap : fonder une famille.

« Alors, cesse de demander l'impossible, se morigéna-t-elle. Profite pleinement de ce que tu as. »

Soudain, Keri aperçut au loin une silhouette qui avançait dans sa direction. Son cœur manqua un battement, tandis que son regard se faisait plus aigu. Elle secoua la tête. Non, ce n'était pas lui ! Elle avait cru, l'espace d'une seconde, reconnaître l'homme qui occupait toutes ses pensées.

Jay aurait-il pris en secret un vol pour la rejoindre la veille de son départ ? Elle n'était pas assez naïve pour imaginer pareil scénario.

La jeune femme continua de marcher vers le promeneur, soucieuse de vérifier qu'il s'agissait bien d'un étranger qui aurait eu la même stature, les mêmes cheveux sombres que son amant.

A quel moment s'aperçut-elle qu'il n'en était rien ? Elle n'aurait su le dire. Elle était trop loin pour distinguer l'expression du beau visage marqué d'une cicatrice. En outre, une paire de lunettes de soleil protégeait les yeux gris-vert. Pourtant, quelque chose, en son for intérieur, balaya ses doutes. Oui, c'était bien Jay !

Le choc de la surprise la cloua sur place. Elle aurait dû courir vers lui, il l'aurait saisie dans ses bras et ils auraient tournoyé sur eux-mêmes encore et encore. Mais...

Pour quelle raison était-il ici ?

* * *

Elle ressemblait à une créature mythique, la femme idéale qui hante les fantasmes masculins. Silhouette presque irréelle nimbée de lumière, vêtue d'une robe pâle fluide, coiffée d'un chapeau de paille dont les larges bords protégeaient son teint de la lumière éblouissante.

Le cœur battant la chamade, la tête soudain étrangement légère, il ralentit le pas afin de prolonger cet instant magique. A présent, il parvenait à distinguer les traits de la jeune femme, l'expression à la fois surprise et anxieuse des yeux sombres. Un sentiment étrange l'envahit. Un sentiment plus profond que le désir.

— Que se passe-t-il ? s'enquit Keri d'un ton où perçait l'angoisse. Que fais-tu là ?

Jay sourit.

— Je m'attendais à un accueil plus chaleureux, fit-il remarquer.

Ses lunettes noires cachaient son regard, mais la jeune femme n'osa pas lui demander de les retirer.

— Jay ?

Il tendit la main, écarta la frange qui ombrait le front haut et, avec une grande douceur, déclara :

— Tu n'es pas heureuse de me voir ?

— Bien sûr que si ! s'exclama-t-elle, le souffle court. Il n'est rien arrivé de grave, n'est-ce pas ?

— Tout dépend de ce que tu entends par « grave ».

— *Jay* ! Je devais repartir demain. Alors, pour l'amour du ciel, dis-moi pourquoi tu es ici !

— Parce que tu me manquais trop.

— Ça alors, c'est…

— C'est quoi ?

— Surprenant de la part d'un homme amoureux de sa liberté.

— J'en conviens. Jusque-là, c'est vrai, je pensais que je ne pourrais aimer une femme qu'à la condition qu'elle me laisse continuer à vivre comme avant.

Keri haussa les sourcils. Elle-même s'était accrochée à sa propre indépendance parce qu'elle avait cru que c'était la seule manière de retenir son amant.

— Et ce n'est pas le cas ? demanda-t-elle.

— Oh, si ! répondit-il gravement. Je suis fou d'amour. Complètement et irrémédiablement.

Il se pencha et déposa un léger baiser sur la bouche de la jeune femme, avant de poursuivre :

— Cela te plaît de t'absenter pendant plusieurs semaines d'affilée, ma chérie ?

Elle hésita.

— C'est-à-dire... euh... en fait... pas vraiment, non.

Il plissa le front.

— Pourquoi le fais-tu, alors ?

— Parce que c'est mon travail. Parce que les meilleures photos se font à l'étranger. Dans les pays exotiques. En outre, elles sont mieux payées. Elles me permettent aussi de rester en haut de l'affiche. Et puis, curieusement, on me propose de plus en plus de contrats depuis que j'ai pris des rondeurs. Et cela, c'est à toi que je le dois, Jay !

— Et tes projets d'architecture d'intérieur ? J'avais pensé que la décoration de mes bureaux marquerait pour toi un départ vers une nouvelle profession.

— Ça, c'était *ton* fantasme plus que le mien ! rétorqua la jeune femme.

— Je croyais que c'était aussi ton rêve, Keri. Y as-tu totalement renoncé ?

Elle se mordilla les lèvres. « Et puis, zut ! *Dis-lui !* »

— J'ai décidé de ne pas me lancer dans quelque chose de nouveau, parce que ma relation avec toi me paraissait plus importante que tout et que je voulais me concentrer uniquement sur nous deux. En fait, je n'envisageais pas de changer de métier parce que…

Elle s'interrompit, fixant le sable. Jay l'encouragea :

— Parce que quoi ? Regarde-moi, Keri.

— Je ne vois pas tes yeux, souffla-t-elle.

Il retira ses lunettes noires.

— C'est mieux comme ça ? questionna-t-il d'un ton ferme.

Dans un sens, oui. Mais d'un autre côté… Jamais Jay n'avait paru aussi intense, aussi grave. Elle comprit qu'elle n'avait pas le choix, que cette fois, le moment crucial *était* arrivé.

— Je ne savais pas si notre relation durerait, avoua-t-elle. Je ne savais pas non plus si ton attitude vis-à-vis de l'engagement se modifierait. Et je n'étais pas sûre de pouvoir affronter toutes ces interrogations en même temps qu'un changement de vie important.

Il hocha la tête, conscient du sentiment d'insécurité qui rongeait Keri. Celle-ci n'avait pas essayé — que ce fût par le harcèlement ou les cajoleries — de le transformer, de faire de lui un autre homme. Peut-être avait-il secrètement espéré qu'elle le ferait ? Comment aurait-il réagi alors ? Se serait-il senti piégé ? Non, leur relation n'était pas un piège, il en avait la certitude aujourd'hui. Il y avait trouvé un équilibre qu'il souhaitait conserver. Un équilibre qu'il avait l'intention de rendre sûr, confortable, définitif. Il aspirait désormais à une véritable maison, à un foyer. A un lieu où jeter l'ancre. Et il éprouvait le besoin impérieux de l'annoncer à la jeune femme.

— Je t'aime, Keri, dit-il.

Pourquoi avait-il fallu tant de temps pour prononcer des mots aussi simples ? s'interrogea-t-il. C'était comme si quelqu'un avait allumé un feu en lui. Tout avait commencé par une minuscule flamme vacillante, timide. Une flamme réclamant des soins et qui, à force d'attention soutenue, avait évolué en brasier.

— Je t'aime, répéta-t-il.

Et son sourire irradia Keri.

— Oh, Jay ! dit-elle dans un soupir.

Il vit alors des larmes perler aux yeux de la jeune femme. Aussitôt, il la prit dans ses bras et la pressa contre sa poitrine avec une ardeur féroce.

— Pourquoi pleures-tu ? demanda-t-il en déposant mille petits baisers sur le visage féminin.

— Parce que je t'aime moi aussi. Je t'aime tellement…

Il savait que les femmes pleuraient *toujours* pour une raison précise. Si Keri pleurait parce qu'elle l'aimait, alors tout allait pour le mieux dans le meilleur des mondes.

A partir de cet instant, les choses se déroulèrent dans une sorte de brouillard. Ils s'embrassèrent longuement, passionnément — comme ils se trouvaient aux Caraïbes, où l'on jugeait cette sorte de conduite tout à fait respectable, personne ne parut s'en offusquer — jusqu'au moment où la jeune femme éprouva le besoin d'un peu d'intimité.

— Si on allait à l'hôtel ? proposa-t-elle.

Jay sentit son cœur s'accélérer.

— Je vote pour, déclara-t-il.

Ils marchèrent main dans la main sur le sable. Soudain, alors qu'ils étaient presque arrivés, ils entendirent les vibrations joyeuses d'instruments à percussion et virent un couple pieds nus batifoler dans la mer. La femme portait une longue robe blanche et une couronne de fleurs dans les cheveux, l'homme était en smoking blanc.

— Oh, Jay, regarde ! s'exclama Keri. C'est un mariage !

— Tu veux qu'on se marie nous aussi ? suggéra Jay d'un ton désinvolte. Ici ?

La surprise laissa la jeune femme sans voix. Puis elle s'exclama :

— Oh, mon Dieu ! Tu veux m'épouser ?

— Quelle question ! Bien sûr que je le veux. Sinon, pourquoi serais-je venu jusqu'ici, à ton avis ? Alors, Keri, acceptes-tu de devenir mon épouse légitime ?

— Evidemment que j'accepte ! Mais pas ici. Enfin, je veux dire… je sais que l'endroit est superbe et romantique et tout et tout, mais…

Keri leva la tête vers Jay, scrutant son visage avec anxiété.

— Je tiens à ce que mes parents soient présents pour ce beau jour. Et Erin… Jamais elle ne me le pardonnerait si je me mariais sans la prévenir. Est-ce que cela te contrarierait beaucoup ?

A ces mots, Jay pensa à la sœur jumelle de Keri. Au courage, à la force avec lesquels elle élevait seule son petit garçon.

— Tu sais quoi ? dit-il en soulevant le menton de Keri. J'ai une idée : si j'invitais ta famille à venir passer des vacances aux Caraïbes ?

A ces mots, la jeune femme crut que son cœur allait éclater de bonheur.

— Oh, Jay ! Tu imagines William en train de faire des pâtés de sable sur cette magnifique plage ?

Il hocha la tête et inspira profondément, sachant qu'il ne pouvait plus reculer.

— Il y a autre chose, Keri.

La tonalité singulière de sa voix frappa la jeune femme. Elle le regarda fixement, retenant son souffle.

— Il faut que je te dise quelque chose d'important : en fait, Jay Linur n'est pas mon vrai nom.

Épilogue

Keri rectifia le nœud du ruban noué autour du pot de céramique où s'épanouissait un laurier et recula pour avoir une vue d'ensemble sur la boutique flambant neuve. L'inauguration de « Linur Style » devait avoir lieu dans deux heures. Le champagne était au frais. Les traiteurs ne tarderaient pas à venir livrer les mini-hamburgers et les minuscules cornets de journaux contenant frites et poissons miniatures. « Un hommage rendu à la meilleure cuisine anglo-américaine », avait déclaré la jeune femme. Et Jay avait ri.

En cet instant, elle n'avait toutefois pas envie de plaisanter. Ses yeux se reportèrent sur son mari.

— Qu'en penses-tu ? s'enquit-elle, anxieuse.

Il la regarda.

— Sincèrement ?

— Sincèrement.

Jay sourit.

— Je pense que c'est fabuleux. Comme toi, d'ailleurs, soit dit en passant. Si, si, je te trouve absolument fabuleuse.

Keri sourit à son tour. D'un geste tendre, elle lui caressa le visage, se rappelant la révélation qu'il lui avait faite le jour où il l'avait demandée en mariage. Avant de lui transmettre son nom, il avait tenu à rétablir la vérité au sujet de ses origines. Elle avait ainsi appris qu'il avait hérité de son père l'une des plus grosses fortunes d'Amérique. « C'était beaucoup trop d'argent, avait commenté Jay. Des richesses aussi colossales corrompent tout : la vie privée, la vie sociale, la vie professionnelle… » Il avait donc préféré mettre ce capital au service d'œuvres utiles et avait créé une fondation destinée à venir en aide aux enfants défavorisés, dans tous les sens du terme. Dès lors, il avait adopté le nom de famille de sa mère, afin que l'on ne le considère plus comme un fils à papa.

Cet aveu l'avait-il choquée ? Pas vraiment, non. Rien de ce qui venait de Jay ne pouvait la surprendre ni lui apporter autre chose que du plaisir. Elle l'avait appris par expérience. Dès le début de leur relation, elle avait pressenti que connaître cet homme équivaudrait à retirer une par une les pelures d'un oignon. Ce en quoi elle ne s'était pas trompée.

Certes, il se montrait encore despote et têtu par moments. Ces temps derniers cependant, elle avait constaté qu'il changeait un peu. Et même plus qu'un peu.

Tandis que Keri continuait à resserrer inutilement le nœud du ruban, son mari lui saisit la main et la porta à ses lèvres. Ce geste doux, romantique, se transforma vite en une manifestation plus ardente. Les joues de la jeune femme s'embrasèrent. Qu'était-il advenu de l'homme qui ne savait pas manifester ses sentiments ailleurs que dans un lit ? Mais tant de choses avaient changé !

En fait, Jay n'était plus le même. Elle non plus, d'ailleurs. L'amour les avait libérés l'un comme l'autre de leurs inhibitions, songea la jeune femme. Grâce à lui, ils s'étaient accordés le droit de dire ce qu'ils avaient réellement dans le cœur. Et le plus étonnant était que leurs désirs et leurs besoins semblaient toujours coïncider.

Tout avait commencé par une remarque que Jay avait faite au moment où ils attendaient les papiers nécessaires à leur mariage aux Caraïbes. Ils se promenaient sur la plage lavée par le clair de lune, sous un ciel étoilé.

— Les nuits sont si belles ici ! avait-il murmuré.

A ces mots, une idée avait aussitôt germé dans l'esprit de Keri : ils s'établiraient dans ce beau pays. Jay y installerait son bureau et il chargerait Andy de diriger celui de Londres.

— Je crois qu'il est prêt à assumer cette promotion, avait-elle affirmé. Prêt à voler de ses propres ailes. Quant à toi, je pense qu'il est grand temps que tu arrêtes tes missions dangereuses.

— Vraiment ?

Jay avait ri, conscient que si, autrefois, quelqu'un lui avait fait une telle suggestion, il se serait senti outragé. A présent, il voyait l'avenir à travers le même prisme que Keri.

— Oui, avait-elle confirmé. Et quant à moi, j'envisage d'abandonner mon métier de mannequin pour me consacrer à la décoration. Je peux me le permettre.

— *Nous* pouvons nous le permettre, avait-il rectifié.

La jeune femme avait opiné de la tête, rose de plaisir. Tout semblait s'enchaîner magnifiquement.

— De plus, je peux donner mon appartement à Erin, avait-elle poursuivi. Et il n'est pas question qu'elle refuse. Elle vivra dedans ou elle le vendra, peu importe.

Sous la pression douce, mais ferme de sa sœur et de son beau-frère, Erin avait accepté le cadeau. Elle avait finalement choisi de le vendre pour venir s'installer près d'eux.

— Il n'y a plus aucune raison pour que je reste à Londres si tu n'y es pas, Keri, avait-elle affirmé. A condition, naturellement que tu n'y voies pas d'inconvénient, Jay ?

— Bien au contraire, avait répondu l'intéressé.

Il avait appris à comprendre le lien intense qui unissait les deux sœurs, à le chérir et à ne pas le considérer comme une menace. En outre, il aimait beaucoup Erin — elle avait tant de points communs avec sa femme, tout en étant différente ! Et si nombre de personnes confondaient les jumelles, lui-même aurait reconnu son épouse dans le noir, à cent mètres. C'était une question d'instinct.

Non, peut-être n'était-ce pas l'instinct qui le guidait, après tout, mais quelque chose d'autre ? Quelque chose de plus fort ?

De nouveau, Jay sourit à sa femme.

Ce qui le guidait, c'était l'amour.

Le nouveau visage de la collection Or

AMOURS D'AUJOURD'HUI

Afin de mieux exprimer sa modernité et de vous séduire encore davantage, votre collection Or a changé de couverture et de nom depuis le 1er mars 1995.

Rassurez-vous, les romans, eux, ne changent pas, et vous pourrez retrouver dans la collection **Amours d'Aujourd'hui** tous vos auteurs préférés.

Comme chaque mois, en effet, vous y attendent des héros d'aujourd'hui, aux prises avec des passions fortes et des situations difficiles...

COLLECTION
AMOURS D'AUJOURD'HUI :
Quand l'amour guérit des blessures de la vie...

Chère lectrice,

Vous nous êtes fidèle depuis longtemps?
Vous venez de faire notre connaissance?

C'est pour votre plaisir que nous avons imaginé un rendez-vous chaque mois avec vos auteurs préférés, vos AUTEURS VEDETTE dans les collections Azur et Horizon.

Les AUTEURS VEDETTE vous donneront rendez-vous pour de nouveaux livres vedette.

Pour les reconnaître, cherchez l'étoile... Elle vous guidera!

Éditions Harlequin

LE FORUM DES LECTEURS ET LECTRICES

CHERS(ES) LECTEURS ET LECTRICES,

VOUS NOUS ETES FIDÈLES DEPUIS LONGTEMPS?

VOUS VENEZ DE FAIRE NOTRE CONNAISSANCE?

SI VOUS AVEZ DES COMMENTAIRES, DES CRITIQUES À FORMULER, DES SUGGESTIONS À OFFRIR, N'HÉSITEZ PAS... ÉCRIVEZ-NOUS À:

LES ENTERPRISES HARLEQUIN LTÉE.
498 RUE ODILE
FABREVILLE, LAVAL, QUÉBEC.
H7R 5X1

C'EST AVEC VOS PRÉCIEUX COMMENTAIRES QUE NOUS ALLONS POUVOIR MIEUX VOUS SERVIR.

DE PLUS, SI VOUS DÉSIREZ RECEVOIR UNE OU PLUSIEURS DE VOS SÉRIES HARLEQUIN PRÉFÉRÉE(S) À VOTRE DOMICILE, NE TARDEZ PAS À CONTACTER LE SERVICE D'ABONNEMENT; EN APPELANT AU (514) 875-4444 (RÉGION DE MONTRÉAL) OU 1-800-667-4444 (EXTÉRIEUR DE MONTRÉAL) OU TÉLÉCOPIEUR (514) 523-4444 OU COURRIER ELECTRONIQUE: AQCOURRIER@ABONNEMENT.QC.CA OU EN ÉCRIVANT À:

ABONNEMENT QUÉBEC
525 RUE LOUIS-PASTEUR
BOUCHERVILLE, QUÉBEC
J4B 8E7

MERCI, À L'AVANCE, DE VOTRE COOPÉRATION.

BONNE LECTURE.

HARLEQUIN.

VOTRE PASSEPORT POUR LE MONDE DE L'AMOUR.

L'ASTROLOGIE EN DIRECT
TOUT AU LONG
DE L'ANNÉE.

(France métropolitaine uniquement)

Par téléphone 08.92.68.41.01

0,34 € la minute (Serveur SCESI).

Composé et édité par les
éditions Harlequin
Achevé d'imprimer en avril 2005

BUSSIÈRE
GROUPE CPI

à Saint-Amand-Montrond (Cher)
Dépôt légal : mai 2005
N° d'imprimeur : 50727 — N° d'éditeur : 11231

Imprimé en France